ここにある社会主義

今日から始めるコミュニズム入門

松井暁
Matsui Satoshi

大月書店

SOCIALISM IS EVERYWHERE

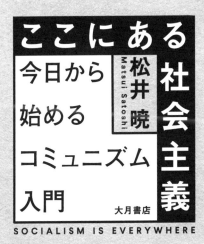

まえがき

１９８０年代以降、資本主義を徹底する新自由主義が、先進資本主義諸国をはじめ世界各国を席《せっ》巻《けん》しました。その結果、国内的にも世界的にも貧富の格差は拡大し、地球温暖化による気候変動は深刻な被害をもたらしています。

この状況に対して、新自由主義からの転換を唱える「〇〇資本主義」論が、続々と提案されています。それらはおよそ2種類に分けられます。一つは、「人間のための資本主義」、「幸福の資本主義」、「緑の資本主義」などの「新しい資本主義」論。もう一つは、「ポスト資本主義」、「超資本主義」などの「脱資本主義」論です。※

「新しい資本主義」論に共通する特徴は、いずれも資本主義を前提にして何らかの改革を訴えていることです。「脱資本主義」論のほうは、資本主義ではない社会をめざすように見えますが、その内容をよく見ると、ほとんどの場合は将来社会の具体像が不明確で、特に資本主義が存続すべきかどうかについて態度が曖昧《あいまい》です。

かつてイギリスのマーガレット・サッチャー首相は、〝There is no alternative〟すなわち新自由主義の他に「選択肢はない」と強弁しました。この主張はＴＩＮＡと略され、突きつめていえば「資本主

※…小峯敦「『新しい資本主義論』の進展」を参照。

義以外の選択肢はありえない」ことを意味します。「資本主義以外の選択肢」とは、資本主義の原理である利潤《りじゅん》追求を否定した社会主義に他なりません。

「新しい資本主義」論者が資本主義を前提にしているのは、TINAを受け入れているからです。「脱資本主義」論者にしても、ほとんどの場合、対案として社会主義を正面から掲げられないのは、その可能性を否定しているからであり、広い意味ではやはりTINAの枠内にいます。

「○○資本主義」論者はなぜ社会主義を忌避《きひ》するのでしょうか。その原因は、特に1980年代末から90年代初めにかけてソ連・東欧国家体制が崩壊して以降、彼らが社会主義への期待を完全に失ったことにあります。貧富の格差や気候変動の問題を深刻に受けとめ、資本主義を「脱した」社会を待望する進歩的な人々でさえ、社会主義と聞くと後ずさりしてしまうのです。

したがって、もし社会主義に対する認識を改め、これに少しでも可能性を見いだすことができるならば、「資本主義はよくないけど、それと付き合っていくしかない」という踏ん切りがつかない態度を捨てて、TINAを堂々と拒否することができるのではないでしょうか。

そこで本書の目的は、社会主義の意義を根本に立ち返って再考し、今日におけるその可能性を探求することにあります。ここでは、この目的を果たすために本書で強調したい三つの点を挙げます。

第一は、「社会主義イコールソ連・中国」という固定観念を払拭《ふっしょく》することです。

そもそも社会主義とは何でしょうか。人間は社会の中でこそ自己を実現できます。そのためには、共同体社会を支える経済的な仕組みが必要です。それが共産主義(コミュニズム)社会であり、会社のような生産手段を労働者・市民が所有し、民主的に運営することです。このような社会を追求するのが社会主義の運動です。

社会主義をこのように理解すれば、ソ連・中国が社会主義でないことは明白です。ソ連は、共産党幹部と国家官僚が企業や工場を中央集権的に管理して、労働者を支配し搾取《さくしゅ》する、社会主義とは無縁の国家体制でした。現在の中国は、アメリカに次ぐ数の富豪を擁《よう》しており、経済的には紛《まぎ》れもなく資本主義ですし、政治的には権威主義であって、社会主義という看板は偽りです。

第二に強調したいのは、社会主義は私たちにとって決して疎遠《そえん》なものではなくて、どこにでもある身近なものだということです。

人類700万年の歴史をふり返ると、人間は競争ではなくて共同によって進化を遂げてきました。紀元前1万年に農耕・牧畜が始まるまでは、共同体の中でメンバーが協力して経済活動にあたり、生産物を平等に分配する原始共産主義の時代が続きました。

また、第二次世界大戦後に多くの先進国で社会民主主義派が推進した福祉国家の中にも、社会主義の要素を見いだすことができます。

福祉国家は1980年代以降、新自由主義による攻撃を受けましたが、今日に至るまでその枠組みは維持されています。日本でも国民皆保険・皆年金のように社会主義的な制度は定着しています。また特に北欧の福祉国家では、市場経済と国家の比重を徐々に減らして、共同的なアソシエーションの比重を増やそうという方向性が見られます。

冷戦時代からの思考法が尾を引いているのでしょうか、社会主義と自由主義は真っ向から対立する思想として捉えられがちです。しかし実は社会主義とは、個人の自由といった自由主義の理念を実質化しようとする思想であり、この点で自由主義の継承者なのです。それゆえ自由主義社会に生きる私たちにとって、社会主義は「ここにある」ものなのです。

第三の強調点は、社会主義は今日における経済の発展段階に適した新しい社会システムを構築する、最先端の運動だということです。

今日、日々の仕事や生活に不可欠なプラットフォームやビッグデータは、ＧＡＦＡＭのような巨大ＩＴ企業が独占していますが、これらのサービスは高い公共性を備えており、市民が自由に使えるほうが効率的です。つまり情報化段階を迎えた経済では、資本主義よりも社会主義のほうが適しているのです。

社会の生産力が急速に発展する中で、福祉国家を超えた、共同的な経済活動に基づく社会、すなわち共産主義社会が近づきつつある予兆が出現しています。ＣＳＲ（企業の社会的責任）やＳＤＧｓ（持続可能な開発目標）の普及は、経済活動の目的は利潤追求だけではないという認識の広まりを示しています。さらに、社会的連帯経済や自治体主義（ミュニシパリズム）といった、社会主義につながる実践が続々と登場しています。

２０２０年代の現在、共産主義社会への移行を追求する社会主義の可能性はますます高まっています。社会主義は「すぐそこにある」のです。

読者のみなさんが、本書を通じて社会主義への認識を刷新《さっしん》してくだされば、著者としてこれに勝る喜びはありません。

SOCIALISM IS EVERYWHERE

目次

SOCIALISM IS EVERYWHERE

第1章 ここにある社会主義

社会主義はどこにでもある

読者のみなさんのほとんどは「社会主義」について、自分たちの生活とは異質なものであるというイメージをもっているでしょう。人権や民主主義を推進している進歩的な人々でも、「社会主義」はそれらを抑圧する体制であるという印象を抱いていることが少なくありません。今日の日本では「社会主義」に対する否定的な印象がとても強いようです。

図表1-1は、ある調査会社が2018年に「現在、社会主義の理念は社会進歩にとって大きな価値をもつか」というアンケートを、先進国から途上国まで28か国を対象に実施した結果です。「そう思う」と答えた割合は、日本は21%で最低です。日本人にとって社会主義は縁遠いものなのです。

しかし他の先進国ではスウェーデンが51%、イギリスが49%、ドイツが45%と高い水準です。資本主義の盟主《めいしゅ》であるアメリカでさえ、「民主的社会主義者」を自称するバーニー・サンダースが2016年の民主党大統領候補に名乗りを挙げ、支持を集めました。2020年に実施された別の調査では、アメリカのZ世代（1997年〜2012年生まれ）の若者の49％が「社会主義に好意的」と回答しています。[※1] このように日本を除く先進国では、社会主義への期待が高まりつつあります。

　歴史をふり返ると、西洋では近代的な社会主義または共産主義の思想は、トマス・モアが16世紀初めに執筆した『ユートピア』のように、虚構としての理想社会を描写することから始まりました。ユートピアとは、ギリシア語で「無い」（ou）「場所」（topos）、すなわち「どこにもない場所」という意味です。

◉図表1-1　「現在、社会主義の理念は社会進歩にとって大きな価値をもつか」に「そう思う」と答えた割合

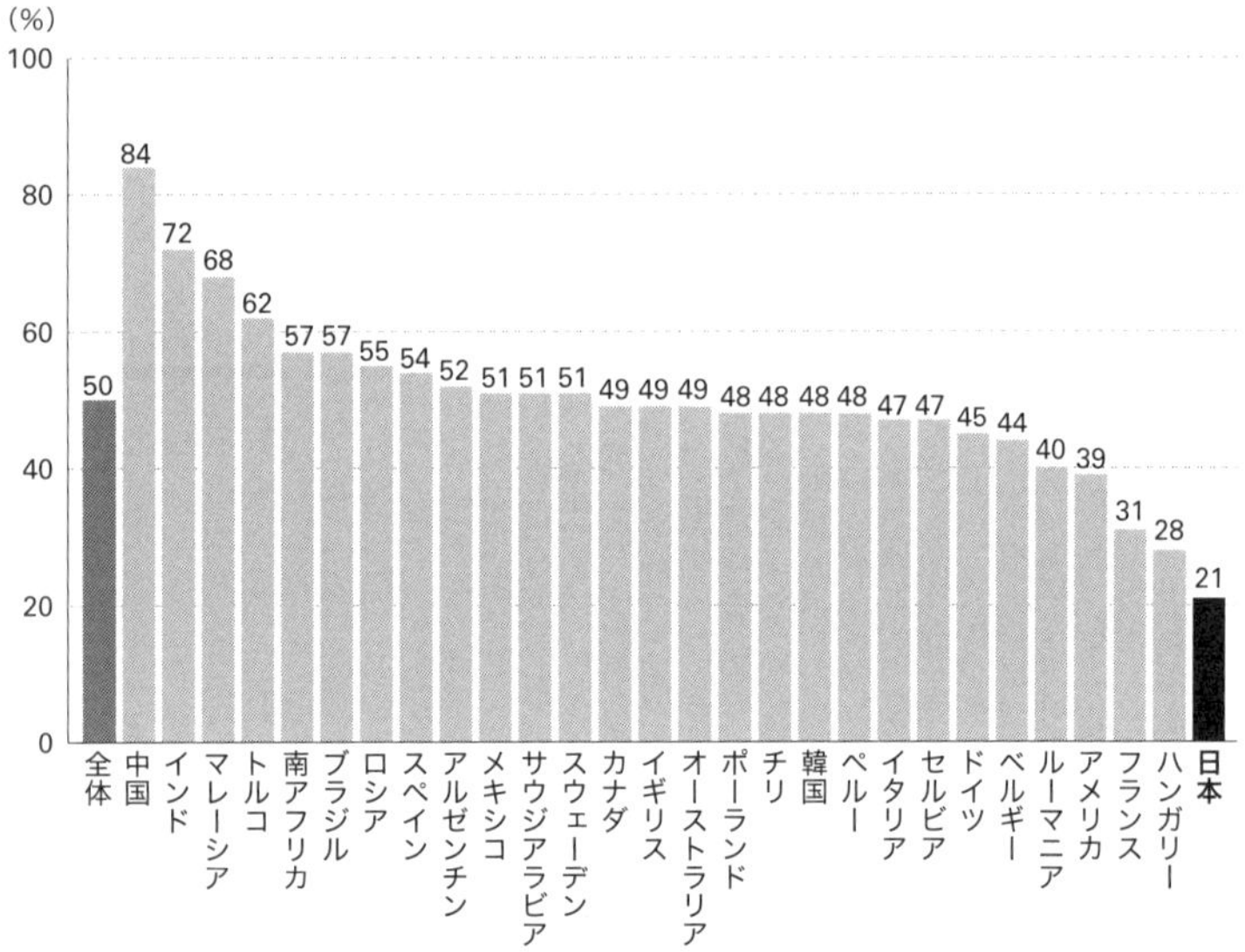

（出所）Ipsos Social Research Institute, “Attitudes towards Socialist Ideals in the 21st Century.”〈www.ipsos.com/sites/default/files/ct/news/documents/2018-05/global_socialism_survey-ipsos.pdf〉

モアの思想は、18世紀から19世紀にかけての社会主義者であるロバート・オーウェンらに受け継がれていきました。その後の時代のカール・マルクスとフリードリヒ・エンゲルスは、オーウェンらの社会主義を「空想的社会主義」（utopischer Sozialismus）と呼びました。なぜならオーウェンらは、理想郷を現実社会の中で構築しようとしたからです。オーウェンは理想郷を実際につくりだそうとしましたが、それは資本主義社会の現実と乖離《かいり》したところでの、純粋培養の実験のようなものでした。

マルクスとエンゲルスは、自らの社会主義を「科学的社会主義」（wissenschaftlicher Sozialismus）と名づけました。ドイツ語のWissenschaftは、科学の他に「学問」をも意味しますから、科学的社会主義という言葉は、何か難しい理論体系のような印象を与えてきました。加えて、『資本論』をはじめとするマルクスの著述が難解なことは、近寄りがたい印象をいっそう強いものにしました。

しかし、彼らが自らの思想体系を「科学的」社会主義と呼んだのは、資本主義の中に社会主義の萌《ほう》芽《が》が現実に存在し、それを発展させることによって共産主義社会が可能になると考えたからです。つまり、ここでいう「科学的」は、空想に対して「現実に存在する」という意味で使われたのです。

たとえば、マルクスが共産主義社会へ移行するための「必然的な通過点」（『マルクス＝エンゲルス全集』第25巻、557ページ）と考えた株式会社は、資本主義社会にはどこにでもあります。社会主義は遠い将来の話でもどこか特殊な国の話でもなくて、「どこにでもある」というのが、マルクスたちの趣旨でした。

※1…瀬能繁『「社会主義化」するアメリカ』。

本書で私が主張したいのは、社会主義が「どこにでもある」こと、もしくは「すぐそこにある」ことです。共産主義社会は、歴史的には人類誕生の当初から原始共産主義として存在しましたし、共同体の原理は、今日の私たちの社会にも息づいています。しかも最も重要なことは、資本主義社会が共産主義社会の基礎を着々と準備していることです。したがって社会主義は、決して私たちにとって疎遠なものではなく、どこにでも見いだせる身近な存在なのです。

社会主義と共産主義の意味

「社会主義」あるいは「共産主義」という概念が、そもそも何を意味するのかを考えましょう。社会主義はsocialismの訳語です。ソーシャル（social）に、「主義」を意味するイズム（ism）がついたのが社会主義です。ではソーシャルとは何でしょうか。

社交ダンスは、かつて英語で使われていたソーシャル・ダンス（social dance）の翻訳語です。一人で踊るダンスに対して、ペアで、すなわち人と人が一緒に踊るダンスがソーシャル・ダンスです。コロナ禍の中でソーシャル・ディスタンス（social distance 正確にはsocial distancing）という言葉が使われました。これを「社会的距離」と訳してもピンときません。「人と人の間の距離」と言ったほうがわかりますね。

つまりソーシャルには「人と人の関係」という意味があります。これにイズムがつくと「人と人の関係を大切にすること」となります。これが社会主義の本来の語義です。人間はもともと社会的存在ですから、人間が人と人の関係を重視するのは当たり前の話です。つまり、この意味での社会主義は、人間にとってごく普通の考え方です。

社会主義とよく似た使われ方をする言葉に共産主義がありますが、現実政治では、社会主義と共産主義は別の概念として使われることもあります。第一次世界大戦後、ソ連を支配する政治勢力を「共産主義」、西側先進資本主義国の社会主義運動を「社会主義」と呼ぶ方法が広く使われるようになりました。しかし、これは本質的な分け方ではありません。

共産主義はコミュニズム（communism）の訳語です。コミュニズムの前半のコミューン（commune）は、動詞としては「親しく交わる」、名詞としては「共同体」を意味します。同じ系列の言葉に、コミュニティ（community）、コミュニケーション（communication）があります。これらは人間関係を表す身近な言葉です。

ですからコミュニズムも、ソーシャリズムと同様に「人と人の関係を重視する考え」という意味です。社会主義も共産主義も、人々が気軽に社交しコミュニケートできる社会をめざすという点では全く同じです。この二つの言葉は、上述のように区別される場合もありますが、本書では同じ意味を表すものとして扱います。

基盤的コミュニズム

「どこにでもある社会主義」というコンセプトを本書と共有するのが、人類学者でアナーキストであるデヴィッド・グレーバーが『負債論』で提示した「基盤的コミュニズム」（baseline communism）という議論です。

グレーバーは、まずコミュニズムを『各人はその能力に応じて〔貢献し〕、各人にはその必要に応じて〔与えられる〕』という原理にもとづいて機能する、あらゆる人間関係」と規定します（同書142ページ）。

グレーバーはコミュニズムを人間関係として捉えます。これは私が先ほど、社会主義や共産主義を広く人間どうしが仲良くすることとしたのと同じ理解です。そしてさらにグレーバーは、コミュニズムは「生産手段の所有ともなんの関係もない」と言い切ります（同143ページ）。

この点は私とは意見が異なります。「各人にはその必要に応じて」与えられるという必要原則が成り立つような人間関係を可能にするためには、生産手段の社会的所有が不可欠であると私は考えます。とはいえ、さしあたってコミュニズムを「必要原則が成立するような人間関係」と捉えることには、私も異論ありません。

グレーバーは次のように述べます。

「実に、コミュニズムこそが、あらゆる人間の社交性〔社会的交通可能性〕の基盤なのだ。コミュニズムこそ、社会を可能にするものなのである。誰に対しても、その人が敵対関係にないとすれば、少なくともある程度は『各人はその能力に応じて、各人にはその必要に応じて』の原理にもとづいて行為することが期待できる――そうした想定は常に存在している。たとえば、ある場所への行き方を知りたい者がいる、べつのある者は道を知っている場合などである」（同144〜145

ページ)。

このようにコミュニズムを広義に捉えると、その適用範囲はきわめて広くなります。家庭・職場・公共空間において、誰かが助けを必要としていて、自分に助ける能力や余裕があるとき、ほとんどの場合に私たちは相手を助けます。しかもその際に、何の見返りも求めないことがほとんどです。道を歩いていて、知らない人から「駅はどちらですか」と尋ねられたときを想像してみましょう。「教える代わりに何をくれますか」などと交換条件をつけたりは、普通はしませんね。

人に道を教えてあげることなどは、お金や労力がかからないから誰もがそうするのであって、このような行為をいちいちコミュニズムだなんて大げさな、と思うかもしれません。しかし、このようなささいな親切心や、他人に道を尋ねれば正しい道を教えてもらえるだろうという緩やかな信頼がない状況を考えれば、それがいかに重要かがわかると思います。

もしも相手が敵対関係にある人物なら、道を尋ねられても教えたりしないでしょう。資本主義化が進んだ日本では、競争主義が浸透して諸個人が分断され、孤立化が進行しました。学校や職場でもいじめやハラスメントが横行し、ささいな親切や緩やかな信頼さえ消えつつあります。そうなると、私たちは学校や職場に行くことがとても苦痛になってきます。

グレーバーによれば、基盤的コミュニズムは「商業さえも含むあらゆるやりとりのうちで、ほぼ常に機能している」(同153ページ)。「あらゆる社会システムは、資本主義のような経済システムでさえ、現に存在するコミュニズムの基盤のうえに築かれているのだ」(同143ページ)。基盤的コミュニズムは、市場経済や資本主義を含むあらゆる社会システムの基盤に存在すると彼はいいます。

　このようなコミュニズムの位置づけは、マルクスの史的唯物論とは異なります。マルクスは原始共産主義、古代奴隷制、中世封建制、資本主義、そして共産主義というように、社会システムが歴史的に発展すると捉えました。これに対してグレーバーは、コミュニズムがこれらすべての社会システムの基盤に存在すると考えます。

　資本主義や市場経済を肯定する人は、古代に文明が誕生して以来、人類は貨幣を生み出し、商品交換をおこなってきたとして、市場経済の普遍性を主張します。そして、過去に共産主義社会をめざした試みは、計画経済を遂行するために市場経済を廃止しようとしたところに困難があったと判定します。

　ところがグレーバーによれば、普遍的なのは市場経済ではなくて、逆にコミュニズムのほうです。コミュニズムが基底にあってこそ、商品の取引も可能になるのだという論理です。この理解からすると、資本主義社会とは、コミュニズムを基盤にもちながらも、この原理のおよぶ範囲を最小限にした社会であるとも捉えられます。

　私はマルクスの史的唯物論を支持していますが、コミュニズムがあらゆる社会の基盤にあるという主張についてては同感です。

人間性の開花

では社会主義は、なぜ人々が社交しコミュニケートする社会をめざすのでしょうか。それは、そのような社会でこそ人間は自己実現できるからです。自己実現は、潜在能力の自由な現実化と外面化という二つの要素からなります。[※2]

潜在能力の自由な現実化とは、自分のもてる潜在能力を自由に、納得がいくまで発揮することです。どのような能力を発揮するかは、その人の好みによって異なるでしょう。また、どの程度まで発揮できるかも人それぞれでしょう。そこには絶対的基準などありません。自分の人生の中で、やりたいことを思う存分やり遂げることが、自己実現の第一の要素です。

潜在能力の自由な外面化とは、社会の中で自己の能力を発揮することです。たとえば歌が上手で、しかも歌うのが大好きなAさんがいたとします。Aさんは自分の部屋で一人で歌っていても、ある程度は楽しいかもしれません。しかし、多くの聴衆の前で自分の歌声を披露し、その中に歌声を聴いて感動してくれる人々がいたなら、Aさんにとってもこんなに喜ばしいことはないでしょう。自分の好きな歌を歌って、しかもそれを聞いて喜んでくれる人たちがいたとき、Aさんは自己実現できたと感じるでしょう。これが自己実現の第二の要素です。

第二の要素である外面化をめぐっては、自由主義と社会主義の間で意見が異なります。ここでいう自由主義とは、個人の自由こそが最も大切であるという思想で、個人主義と呼びかえても差し支えありません。自由主義の考える自己実現は第一の要素だけですが、社会主義は第二の要素が加わって

※2…Jon Elster, "Self-Realization in Work and Politics"を参照。

初めて自己実現が可能になると考えます。

第8章で詳述するように、資本主義社会では諸個人の人間関係が分断され、互いに競争させられます。その結果、SNS（ソーシャル・ネットワーキング・サービス）の普及にもかかわらず、諸個人の孤立化が進行し、社交やコミュニケーションが阻害されます。

人々が社交しコミュニケートする社会を社会主義がめざすのは、自己実現には第一の要素だけでなく、第二の要素があるからです。人間が自己実現するためには、人々の間の社会関係がどうしても必要なのです。人間が社会の中で自己実現することは、「人間性の開花」と呼ぶこともできます。社会主義は社会関係の発展を通じて、人間性の開花をめざす思想なのです。

生産手段の社会的所有

人間性の開花のために、人々が社交しコミュニケートする社会をめざすというだけなら、歴史的に見ても宗教や道徳に似たような考え方を見いだすことができます。一人ひとりがそのような気持ち（「優しさ」や「他者への思いやり」）をもつことが大事だという議論もありえますが、そうなると、そのような気持ちをもてるかどうかという心がけの問題になってしまいます。

ですから、このような社会をめざすというだけでは、社会主義の説明としては不十分です。人々が社交しコミュニケートする社会をつくるためには、それを可能にする経済的な仕組みが必要だというのが社会主義の考えです。

少数のお金持ちと多数の貧乏人からなる社会では、金持ちが貧乏人に命令し、貧乏人どうしは競争を強制されます。このような状況では、金持ちと貧乏人の間はもちろん、貧乏人の間でも「社交しコミュニケートする」ことは困難です。つまり、人々が協力しあえる条件は、人々の間に経済的格差がなく、みんなが対等な立場で向きあうことなのです。

それでは、社会のメンバーの間に階級や格差をなくすにはどうすればよいでしょうか。一つの答えは、お金持ちから税金を集め、それを貧しい人々に再分配することでしょう。実際に、福祉国家のもとでこのような政策が実施されてきました。しかし第10章で述べるように、福祉国家のもとでも格差はなくなりませんでしたし、今日ではそもそも福祉国家が立ち行かなくなっています。

なぜかというと、福祉国家は、生産手段を所有する資本家と、それをもたない労働者からなる資本主義経済を前提にしています。そこでは資本家が自らの利潤追求のために、労働者がつくりだした生産物を搾取します。しかもグローバル化と情報化が進んだ現在では、資本家の得る利潤はますます増え、労働者はいっそう貧困化していきます。

ですから、現時点において格差を廃止するには、資本家と労働者という階級の違いを廃絶し、生産手段を社会的所有にするしか方法がありません。生産手段とは、具体的には土地・道具・機械・原材料などのことで、現代では会社をイメージしてもよいでしょう。社会的所有とは、私的所有の反対語で、社会の一部の人が私的に所有するのでなく、社会のメンバーみんなで所有することです。

生産手段の社会的所有は、人類700万年の歴史において、そのほとんどを占めるくらい普遍的でした。[※3] 原始時代の人々は道具を共有し、協力して獲物を捕らえ、それらを平等に分配しました。それゆえ、階級が生じることはありませんでした。つまり原始時代は社会主義が基本だったのです。

ところが原始時代の終わりごろに、生産手段を独り占めした階級が、それを奪われた民衆を搾取する階級社会が登場します。そして奴隷制社会、封建制社会、現代の資本主義社会へと至るのです。

資本主義社会における代表的な生産手段は会社です。会社は英語でカンパニー（company）です。カンパニーはもともと仲間という意味ですから、会社とは多くの仲間が集まる場のことです。会社という文字をひっくり返すと社会になります。社会はソサイエティー（society）の訳語で、多くの人々の集まりです。ソサイエティーは協会や学会のような「会」という意味でも用いられますから、カンパニーもソサイエティーもほとんど同じ意味です。フランス語では、ソシエテ（société）は社会と会社のどちらの意味でも使われます。明治期に二つの言葉を区別するために、会社と社会という訳語があてられました。[※4] つまり会社では、経済活動が多数の人々の協業によって支えられています。

にもかかわらずこの社会では、グーグルのような巨大な会社を一握りの資本家が所有しているために、貧富の格差がますます大きくなり、人々は互いに競争させられ分断されています。会社経営において、株主・経営者に限らず、そこで働く労働者や顧客としての市民など、あらゆる利害関係者をステークホルダーといいます。社会主義は、こうした大企業をステークホルダーによる管理・運営下におくことによって、人々が相互に協力し信頼しあえるような社会をめざすことともいえます。

コミュニズムが「共同主義」ではなくて「共産主義」と訳される理由も、生産手段の社会的所有にあります。定期的に入る給料のような所得に対して、貯蓄・土地・家屋のように保有された財産を資産と呼びます。後者のうち、工場や会社のような生産手段が生産的資産です。共産主義の「産」とは生産的資産のことであり、生産的資産を共同所有するので共産主義という訳語をあてたのです。

このように社会主義も共産主義も、その究極目標は人間性の開花であり、そのために人々が社交しコミュニケートしあう社会をめざします。そして、それを可能にするためには、生産手段を社会的所有にせねばならないと主張してきたのです。

上述のように、生産手段の社会的所有は、歴史的に見ればごく当たり前でした。ところが、生産手段の私的所有を前提にする、現代の資本主義社会に生きる私たちからすると、生産手段の社会的所有は実現不可能な空想のように見えます。本書を通じて私は、生産手段の社会的所有を制度的条件とする社会主義が、決して「どこにもない」ものではなく、「どこにでもある」、または「ここにある」ことを明らかにしたいと思います。

※3…人類の誕生をいつとするかは諸説があります。本書では、直立歩行するヒト類が出現した700万年前としておきます。
※4…柳父章『翻訳語成立事情』を参照。

第2章

SOCIALISM IS EVERYWHERE

社会主義を捉える視角

五つの観点

社会主義を語るときには、しばしば思想・運動・体制の三つの観点が用いられます。この分類にはそれなりの意味があります。社会主義はまず、眼前の資本主義社会に疑問を抱く「思想」家によって、それに取って代わるような新しい社会構想として登場します。次に、この社会主義思想に感化された人々が、活動家や政治家として、現実の社会に社会主義を実現する「運動」を起こします。その結果、人々が社会主義運動に賛同し、その社会の基本的な部分において生産手段の社会的所有が達成されれば、その社会には社会主義「体制」が確立したことになります。

これら三つの観点に加えて、本書はさらに二つの観点、すなわち「制度」と「方向」を導入します。制度は運動と体制の中間に位置します。社会主義運動の目的は、資本主義社会から共産主義社会への移行ですが、資本主義社会の中でも、社会主義的な性格をもつ制度――たとえば労働基準法――を実現することは可能です。ですから、制度の観点から社会主義を捉える必要があります。

もう一つは方向です。先ほど述べたように、社会主義運動の目的は共産主義社会の実現です。しかしこの運動の中には、資本主義社会に社会主義的制度をある程度、構築できるならばそれで十分だという議論が生じます。たとえある社会が社会主義的制度を含んでいるとしても、体制の基本が利潤追求原理であるならば、それは資本主義体制です。

もし、社会主義的制度を含みながらも基盤を資本主義におくような社会を永久に固定化しようとする運動があるとすれば、それは社会主義運動の名に値しません。ここで重要なのが「方向」です。資本主義社会の中において共産主義社会に接近しようとするならば、まずは社会主義的な制度を徐々に増やしていくことが必要です。この社会主義への方向を堅持しているならば、それは社会主義的な運動と呼べますが、その方向を放棄して現状を固定化しようとするならば、それは社会主義運動ではありません。

社会主義の思想・運動・制度・方向・体制の関係は、図表2－1のように表すことができます。本書では、私た

●図表2-1　社会主義を捉える五つの視角

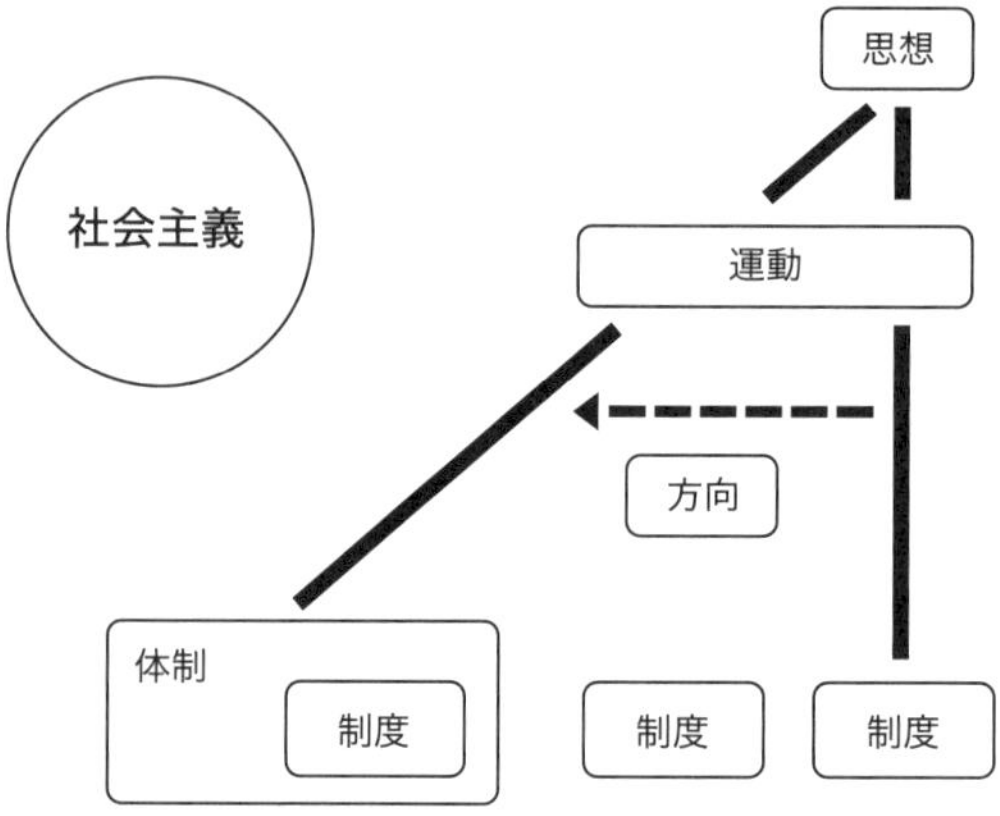

ちの社会において社会主義がどのような状況にあるのかを評価するために、社会主義をこれら五つの視角から考察します。

思想としての社会主義

近代的な社会主義思想は、封建制社会から資本主義社会への移行期に登場しました。第1章でふれた通り、16世紀にトマス・モアが執筆した『ユートピア』が近代社会主義思想の原型とされます。そこでは財産は共有で、生活に必要な物資は公平に分配されます。人々は一日に6時間しか働かず、それ以外の自由時間は各人が自己実現するために使われます。無料で利用できる病院などの社会福祉も整っています。これは一種の共産主義社会の描写です。

19世紀前半の空想的社会主義者は、資本主義世界の外側に理想の共同体社会を構想しました。アンリ・ド・サン-シモンは、資本家と労働者を含む「産業者」が指導する理想社会においては、「人間の支配」に代わって「事物の管理」が実現し、国家が消滅すると考えました。シャルル・フーリエは、1500〜1600人の住民によって構成される、生産と消費の生活共同体である「ファランジュ」の建設を訴えました。さらにロバート・オーウェンは、アメリカで「ニューハーモニー村」という理想郷の建設を実際に試みました。彼は工場法の制定や労働組合・協同組合運動の育成にも尽力したので、「イギリス社会主義の父」と呼ばれています。

19世紀中盤から後半にかけて活動したカール・マルクスとフリードリヒ・エンゲルスは、生産力が発展し生産の社会化が進む資本主義社会の延長線上に、社会主義社会を構想しました。彼らは、将来社会の構想には禁欲的で、むしろ資本主義社会の分析に力を入れました。マルクスの主著が『社会主義論』ではなくて『資本論』であるのは、まさにそれゆえです。

マルクスとエンゲルスは『共産党宣言』（1848年）を発表したり、1864年に創設された国際労働者協会（第一インターナショナル）を主導したりしました。当時の社会主義思想には、ピエール-ジョセフ・プルードンやミハイル・バクーニンのアナーキズム、フェルディナント・ラッサールの国家主導派、イギリスの労働組合主義など多様な潮流がありました。しかし、労働者階級の政党が政権を握ることによって共産主義社会を建設すべきであるというマルクスたちの主張が、最終的には主流派となりました。

本書で扱う社会主義は、主としてマルクスたちの思想に依拠していますが、それ以外の社会主義派の主張にも真剣に受けとめるべき要素がたくさんあります。思想としての社会主義がどのようなものかという問題は、今日も問いつづける価値があります。

運動としての社会主義

運動としての社会主義は、思想としての社会主義と、体制としての社会主義とを橋渡しすることを使命とします。歴史的には、運動としての社会主義は、社会主義の思想に基づいて資本主義社会の欠陥を是正するところから出発しました。それは労働組合、協同組合、社会主義政党など、資本主義社会の内部で活動する運動主体によって担われてきました。

社会主義と聞くと、誰もがソ連や中国のような体制をイメージして、そのような社会は嫌だと反応します。しかし社会主義とは、何らかの体制モデルを設定して、それと同様な体制を構築しようとする運動ではありません。

資本主義社会に生きる私たちに求められる社会主義とは、資本主義社会の中に存在する矛盾を一歩一歩解決しようという運動のことです。マルクスが強調したのもまさにこの点です。上述のように彼は、空想的社会主義の限界を指摘し、社会主義運動とは資本主義社会の中にある社会主義の萌芽を育成することだと主張したのです。

資本主義社会の中にも、過去の運動によって蓄積された社会主義的な制度が存在しています。そうした「ここにある社会主義」をもっと拡大していこうというのが、これからの社会主義運動です。

たとえば最低賃金制度は、これまでの社会主義運動が獲得してきた制度です。そして新自由主義政策によって貧困・格差が広がる中で、これに対抗してアメリカの「15ドルのための闘い」運動のように、最低賃金引き上げを要求する運動が世界各国で進行しています。日本でも労働組合が最低賃金引き上げを運動方針としています。このように、最賃引き上げは「ここにある」社会主義運動です。

つまり運動としての社会主義も、決して私たちにとって縁遠い存在ではなくて、日常的な「ここにある社会主義」の一つなのです。

制度としての社会主義

通常、社会主義は思想・運動・体制の観点から分析されますが、本書では「制度」という観点も採用します。ここでいう制度とは、体制を構成する部分です。たとえば社会保障制度は、それだけでは社会体制とはいえませんが、社会体制を形づくる重要な構成部分です。

制度は運動と体制の中間に位置します。運動によって最低賃金が引き上げられれば、新たな最低賃金が制度となります。そのような社会主義的制度が積み重ねられることによって、社会主義体制へと接近していきます。

「ここにある社会主義」という本書の観点からすれば、制度としての社会主義は特に重要です。福祉国家といわれる現在の資本主義は、その中に社会保障制度や義務教育制度など、社会主義的な制度を多く取り込んでいます。特にスウェーデンのような北欧福祉国家では、労働者の経営参加や社会保障の面で、高度に社会主義的な制度が定着しています。民主的社会主義者を自称するアメリカのバーニー・サンダースは、民主的社会主義とは何かという問いに、北欧福祉国家を見ればよいと答えています。

これに対して資本主義派は、こうした福祉国家も資本主義市場経済を基礎においているのだから、サンダースの理解は間違っていると批判します。確かに北欧諸国は先進資本主義諸国の一員であって、社会体制としては社会主義には分類されません。しかし北欧諸国では社会主義的な制度が広範に確立していることは事実であって、この点でこれらの諸国が「社会主義的である」と判定することは間違っていません。

ですから、体制からより分析対象を小さくして、制度に分け入ってみれば、その体制が資本主義か社会主義かという二分法から、社会主義的制度をどの程度に採用しているかという、より正確な問題設定に置き換えることができます。

後述のように、本書はソ連・中国のようなソ連型社会体制を社会主義とは認めません。この理解を前提にすれば、北欧諸国は今日の世界で最も社会主義に接近していると評価できます。このように、制度としての社会主義という視点は、現時点での社会主義の広がりを理解するうえで大いに有効なのです。

方向としての社会主義

本書はさらに、「方向」としての社会主義という観点を加えます。運動と方向には、共通点と相違点があります。共通点は、いずれも何らかの目的に向かっていることです。社会主義の運動であれば、そこでは人間が共同関係の中で自己実現できるような社会に向かっているのかどうかが大事になります。方向も同じような意味をもっています。ただし、運動はその動きを推進する主体の面が強調されるのに対し、方向という場合は、その動きが有する客観的側面が強調されます。

社会主義は、もちろん人々の主体的な運動が推進力となるので、運動の側面はいうまでもなく重要ですが、体制や制度を評価する際には、それ自体が有する客観的方向の側面も大切です。たとえば、すべての国民に無条件に一律の金額を恒久的に支給するベーシック・インカムという制度が近年、注目されています。この制度を評価する際に、それが福祉国家資本主義を永続化するだけのものであれば、方向としての社会主義という基準に合わないことになります。逆に、もしそれが、共同関係の中での自己実現という社会主義の理念に近づくための制度であれば、方向としての社会主義という基準をクリアします。

社会主義の「主義」はismの翻訳です。主義というと、それを信奉する主体的側面が強調されます。しかしismには、客観的な方向という意味もあります。たとえば病気のリウマチはrheumatismで、客観的な状態を表します。社会主義の反対語である資本主義capitalismにおいては、capitalistといえば「資本家」であって、「資本主義者」とは通常は呼ばれません。資本主義は、特定の誰かの主義主張というよりも、利潤追求を推進する社会的な方向を意味します。

これに対して、社会主義のほうは、この教義を信奉する運動家の主義主張と理解されることが多いようです。しかし社会主義にも資本主義と同様に、客観的な方向という意味はあります。資本主義の方向が利潤追求であるのに対して、社会主義の方向は自己実現のための共同です。この方向に向かう運動や制度であれば、それは社会主義的だと評価してよいのです。

かつて社会主義運動において「革命か改良か」が論争の的となりました。革命派からすれば、改良は資本主義の延命に手を貸すだけでなく、改良によって民衆を満足させ、根本的な社会革命を放棄させる点で反動的と見なされました。しかし、改良には2種類あります。すなわち、それ以上の改良を放棄させ、根本的な社会変革を葬り去る改良と、改良を永続的におこなうことによって、根本的な社会変革に近づこうとする改良です。前者の改良は確かに革命と対立しますが、後者の改良は革命と矛盾しません。

社会民主主義の元祖といわれるエドゥアルト・ベルンシュタインは、社会主義の究極目標は自分にとって無意味であり、「運動が全てである」と言い切りました（『社会主義の諸前提と社会民主主義の任務』370ページ）。社会主義の最終目標は社会主義体制を構築することです。労働者の待遇改善のための運動を、その最終目標から切り離してしまうのであれば、それは方向性のない運動であり、社会主義運動とはいえません。

そもそも、革命か改良かという問題は、その社会のおかれた政治状況に左右されます。革命は決して社会主義の専売特許ではありません。フランス革命は、封建主義社会から自由主義社会への急進的転換をめざした社会革命でした。封建主義社会では国民主権のような民主主義が否定されたために、選挙で多数を占めることで社会を変革するという方向の実現可能性はありませんでした。ですから当時の自由主義者は、議会制民主主義による国民の政治参加をめざしていましたが、それを実現するために暴力革命という方法を選んだのです。

これに対して社会主義革命は、自由主義社会から共産主義社会への移行をめざします。自由主義社会では、原則として国民主権や議会制民主主義のように、国民が平和的な方法で政治を選択する仕組みが存在します。ですから社会主義者の社会変革は、基本的に平和的な方法がとられることになります。実際に西欧の社会民主主義派は選挙によって政権についていますし、南アメリカ諸国では急進左派が選挙を通じて政権を掌握《しょうあく》しました。社会主義運動が必然的に暴力革命をもたらすわけではありません。

ですから今日では、社会主義派が政権を握る方法としては、議会で多数派を形成する方式が中心となります。そして、その政権が実行する政策や、それによって形成された制度、それらを推進する政治勢力が社会主義的かどうかを判断する際に重要となるのが、先ほどから述べている「方向としての社会主義」という観点です。たとえわずかな改良であっても、その積み重ねによって資本主義から社会主義へという方向に進んでいるのであれば、それは社会主義と呼んでよいのです。

たとえば二つの国AとBがあって、A国では生産手段の社会的所有が実現し、体制としても社会主義といえる段階に達しているとします。対してB国では、資本主義のもとでこれから最低賃金制度を導入する段階にあります。A国から見れば、最低賃金制度は資本・賃労働関係を前提とした資本主義的な制度ですが、B国の状況において最低賃金制度を導入することは、方向としての社会主義からすれば十分に社会主義的です。

方向としての社会主義が重要だとわかる、もう一つの例を挙げましょう。資本主義国では、20世紀初頭までに男子普通選挙制度が普及していきました。民主主義的な選挙制度は、労働者・市民が社会参加するうえで必要な制度ですから、方向としての社会主義からすれば、この時点ではこれも社会主義的な制度といえました。しかし、女性の普通選挙への参加がすでに確立している今日に、あえて男子に選挙権を限定する制度を推奨したならば、その政治勢力は社会主義どころか、歴史の進歩に逆行しています。

このように、制度や運動を評価する際には、それらの絶対的な水準だけでなく、社会主義の方向に向かっているかどうかという観点が重要なのです。

体制としての社会主義

思想としての社会主義からすると、社会主義の根本原理は、人間の共同の中での人間性の開花でした。それに従えば、体制としての社会主義は、この原理を体現した社会であるということになります。しかしこれだけでは抽象的すぎて、どのような体制なのかはっきりしません。共同の中での人間性の開花を可能にするには、具体的にはどのような体制上の仕組みが必要でしょうか。

社会主義者たちが重視してきたのは、生産手段の社会的所有でした。生産の二大要素は労働力と生産手段です。労働力は、健康な成人であれば、誰でも平等にもっています。ところが工場や機械・原料、もしくは会社のような生産手段は生産的資産ですから、もっている人(有産者)ともっていない人(無産者)に分かれます。歴史的に見ると、有産者は無産者がつくりだした生産物を搾取する支配階級となってきました。資本主義社会では、有産者たる資本家が無産者たる労働者を搾取しています。

そこで、会社から資本家、すなわち株主とその息のかかった経営者を追い出し、労働者自らが会社のオーナーとなって運営していこうというのが、体制としての社会主義の基本です。ですから、体制としての社会主義の基準を最も簡潔に表現すると、「生産手段の社会的所有」となります。

かつてはソ連型の社会体制が、この生産手段の社会的所有に基づいた体制の典型であると見なされていました。ソ連型社会体制の指導者たちは、国家が会社や工場の所有者であり、その国家は労働者を代表する機関であるから、生産手段の社会的所有が成立していると説明してきました。

しかし、この説明を鵜呑みにしてよいでしょうか。ここで、生産手段の社会的所有という場合の「社会的」の意味をよく考える必要があります。「社会の代表が国家なのだから社会的所有だ」という論理は、国家イコール社会という等式を前提にしていますが、この等式は常に成り立つでしょうか。

マルクスによれば、国家は階級の存在によって成立する機関でした。原始時代には国家がありませんでした。日本では縄文時代後期あたりから稲作が始まって、コメの剰余を蓄《たくわ》えた者が支配階級となり、邪馬台国のような国家が形成されました。このように国家は階級分裂を前提とします。

共産主義社会では生産手段が社会的に所有される、すなわち市民すべてが生産手段の所有者になりますから、有産者と無産者、または資本家と労働者という階級はなくなります。ですから縄文時代までと同様に、支配階級が人々を支配するための権力機関である国家は不要になります。

もちろんいかなる社会でも、経済運営や教育・社会保障などの社会的共同業務を担う機関は必要です。国家は支配の正当性を保つためにそうした共同業務を担ってきましたが、国家がなくても、共同業務は市民が民主的に運営する機関によって遂行可能です。後述する「フリー・コミューン」や自治体社会主義が、国家の廃止に向けた運動をすでに実践しています。国家を廃絶する運動の最終到達点が共産主義社会なのです。

社会主義における生産手段の社会的所有とは、労働者・市民が生産手段を所有し、自らの意思で運営することです。ところがソ連型体制においては、企業を実質的に管理していたのは、国家を一元的に支配する共産党幹部と、彼らが指導する官僚層であって、一般の労働者・市民は実質的な管理・運営権をもちませんでした。つまりソ連型体制においては、生産手段の国家的所有はあっても社会的所有はありませんでした。このような体制を社会主義と呼ぶことはできません。それゆえ本書では、これまでに存在したソ連型社会体制は社会主義ではないと理解します。

では、改革開放後の中国における「社会主義市場経済」はどうでしょうか。「市場経済」という表現からは、中国政府が資本主義という言葉を避けていることが伺われます。しかし2023年度の世界長者番付では、10億ドル以上の資産を保有するビリオネア2640人のうち中国は562人で、アメリカに次いで2位です。[※1]このように中国は、経済的には紛れもなく資本主義です。では政治の面ではどうかというと、中国共産党による専制支配が継続・強化されています。つまり、経済体制は資本主義だが、政治体制が共産党による一党独裁であることが、中国の「社会主義市場経済」の内実です。

このような体制が、経済的にはもちろん、政治的にも社会主義といえないことは当然です。社会主義とは労働者・市民による生産手段の社会的所有でした。この社会的所有という概念には、市民による民主的な政治参加が絶対の必要条件です。しかし中国では、共産党政権が権威的に支配して、市民の政治参加を制限しています。このような体制を社会主義と呼ぶことはとうていできません。

これまでの歴史上、上述の意味での「体制としての社会主義」はいまだ実現していません。ですから、体制としての社会主義がどのような形になるのかは、これからの問題です。本章で述べてきた「方向としての社会主義」という観点からすると、体制としての社会主義は、革命のような急激な変化で

※1…Forbes, World's Billionaires List: The Richest in 2023.〈www.forbes.com/billionaires/〉

はなく、現在の資本主義社会の中に徐々にその領域を広げていくことによって定着していくものだといえます。そこで、どのような過渡的な体制があるかを知っておく必要があります。

まずは、既存の資本主義社会から出発します。これには新自由主義的な資本主義と、社会民主主義的な資本主義（福祉国家）があります。第二次世界大戦後、1970年代までは多くの先進資本主義国が福祉国家の方向をめざしましたが、80年代以降、特にイギリス・アメリカ・日本をはじめとして多くの国が新自由主義的な路線にシフトしました。

日本には国民皆保険・皆年金のような福祉国家的制度が存在しますが、それを導入したのが社会民主主義政権ではなかったという特殊な事情があります。今後、私たちの優先目標は、新自由主義的な政策を廃止して、本格的な福祉国家を構築することです。

しかし、この福祉国家は社会主義的な制度を備えつつも、生産手段の私的所有を前提にする点で、体制としては社会主義とはいえません。第10章で述べるように、この福祉国家体制は、グローバル化と情報化の進展した今日では永続することができません。そこで、社会主義の方向へさらに進まねばなりません。

最初のありうべき社会主義経済は、市場社会主義を採用することになるでしょう。この体制が社会主義と呼ばれるのは、少なくとも主要な産業において、大企業が社会的所有とされるからです。市場社会主義のモデルとしては多様な提案がなされています。その典型は、労働者・市民が運営する自主管理企業を基本とするモデルです。労働者・市民が企業のオーナーであるという点で、生産手段の社会的所有の要件を満たします。

しかし、生産手段の社会的所有をより厳格に考えるならば、市場経済は生産と消費を市場による価格メカニズムに委ねており、市民の民主的意思決定が尊重されているとはいえません。もしも市民の民主的意思決定を経済に反映させるのであれば、市民が協議のうえで生産と消費を決定する計画経済が必要になります。そこでは、消費者協同組合が民主的協議を通じて生活・健康・環境に配慮した生産物を需要し、労働者協同組合がそれを受けて、労働条件や資源制約を考慮して生産物を供給します。

したがって、市場社会主義のモデルも福祉国家と同様に、共産主義社会へと至る一時的な体制という位置づけになります。計画経済に基づく共産主義社会については、まだイメージが湧かないかもしれませんが、これからの章で深めていきましょう。ここで確認したいのは、市場を廃止した、市民による民主的意思決定に基づく計画経済こそが、体制としての社会主義の目標であることです。

SOCIALISM IS EVERYWHERE

第3章

自由主義と社会主義

自由主義の原理

近代以前、封建時代のヨーロッパでは、農奴《のうど》たちは領主の土地に緊縛《きんばく》され、強制的に剰余生産物を搾取されていました。剰余生産物とは、毎年新たに生み出される純生産物から、生活のために消費せねばならない必要生産物を差し引いた残りの部分です。自由主義（liberalism）は、こうした封建的拘束《こうそく》から諸個人を「解放する＝自由にする」（liberate）理論として登場し、自由な個人としての市民を基本単位とする社会を構築しようとしました。個人の自由こそが自由主義の核心です。

ところで、リベラリズムに似た言葉として「リベラル」（liberal）があります。アメリカでは冷戦期に「社会主義」という言葉は禁句だったので、左派を指すときに「リベラル」という言葉をあてがいました。それが日本に輸入されたというわけです。本書で用いる自由主義は、このリベラルとは全く異なるので注意してください。

さて、自由主義からすると、個人の自由にとって最も大切なことは、私的所有の確保です。まず、諸個人が誰からも束縛されることなく、自由に移動したり好きな職業についたりするためには、「自分の身体は自分のものである」という自己所有権の確立が必要です。そこから、「自分が自分の身体を駆使して（すなわち労働して）生産したものは自分のものである」という私有財産権が派生します。こうして、個人の身体と財産についての私的所有権は、自由主義にとって不可欠の原理となりました。

自由主義の不完全性

17世紀に、自由主義の先駆者といわれるトマス・ホッブズは、個人の自由を原理とした自由主義社会の可能性を追究しました。しかし彼は大きな難問にぶつかります。諸個人が自由勝手にふるまう自然状態においては、一人ひとりが自らの私的所有を拡大しようとする結果、利害対立が生じ、「万人の万人に対する闘争」になってしまいます。こうなると、最も武力をもつ少数の強者のみが自由を謳歌《おうか》し、多数の弱者たちは自由な行動を制限される悲惨な状況に追い込まれます。このような社会を「自由な社会」と呼ぶことはできないでしょう。つまり、個人の自由を中核とする自由主義は、それだけでは社会編成の原理になりえないのです。

そこで、その少し後に、自由主義の父とされるジョン・ロックが考案したのが、諸個人が有する武力＝権力を放棄して政府に集中し、その代わりに政府が諸個人の私有財産を権利として保障するという方式です。こうすれば多数の弱者の私有財産も権利として保障されます。自己所有権にしても私有財産権にしても、「権利」という概念が付随《ふずい》しています。権利に効力があるのは、それを侵害すると、警察すなわち武力を独占した政府によって逮捕されるからです。

権利は英語でrightです。rightとは「正しい」であり、権利とは「正しいこと」です。ドイツ語では法はRechtすなわち英語のrightです。正義は英語でjusticeであり、justもやはり「正しい」です。つまり、権利も法も正義もすべて「正しいこと」を意味します。自由主義は、個人の自由を維持するために私的所有を、そして私的所有を確保するために権利＝正義をも必須の原理として取り込みます。

社会主義をテーマとする本書にとって重要なのは、権利の概念が社会主義的な性質をも有することです。上述のように、私有財産制によって個人の自由を確立しようとする自由主義は、それだけでは「万人の万人に対する闘争」に陥《おちい》ってしまいます。その結果、少数の強者が大多数の弱者の自由を制限することになり、自由主義は社会編成の原理としては成り立ちませんでした。そこで自由主義者たちは、大多数の弱者にも等しく人間の基本的権利、すなわち人権を保障することを提案しました。弱者の人権を保護するというのは、まさに社会主義者の要求に他なりません。つまり自由主義は、その成立の時点ですでに社会主義の要素を取り込んでいたのです。

自由主義者たちは、さらに平等の原理をも採用します。なぜなら、諸個人に与えられた権利の大きさに格差があると、大きな権利をもった少数の個人は強者に、小さな権利しかない大多数の個人は弱者になり、結局は支配や搾取を生み出してしまうからです。そこで自由主義者は、個人の権利を平等に配分することを提案します。これが「法の下の平等」という自由主義の大原則です。

社会思想史の教科書にはしばしば、「自由主義の原理は自由であり、社会主義の原理は平等である」と書いてあります。後述のように、平等は社会主義の究極的な原理ではありません。しかし「平等」は「自由」と比べれば、確かに自由主義から社会主義のほうへ近づいた概念です。自由主義は、私有財産制による個人の自由から出発しながら、この原理だけでは社会全体を統合できないために、まず権利の概念を、その次には平等の概念を、自由主義の中に取り入れたのです。

このようにして、自由主義は個人の自由を所有・正義・平等という権利の系列で保障しようとしました。個人の自由にはもう一つ、功利という系列があります。自由主義においては、諸個人は自分の幸福を利己的に追求する自由をもっています。しかし、これでは誰もが自己の幸福を追求するあまり、他人の幸福を侵害する事態が起こりえます。たとえば、ある人は夜中にバイクを自由に乗りまわすことで快感が得られるかもしれませんが、それは他の人々の安眠を妨げて彼らの効用を低下させます。

そうした事態が放置されていては、ホッブズの自然状態と同様に、私たちは悲惨な状況におかれるでしょう。そこで19世紀にジョン・スチュアート・ミルは『自由論』において、個人が自由に行動してよいのは、他人に危害を加えない限りにおいてであるという但《ただ》し書きを加えました。これを他者危害原理といいます。

それより以前の18世紀に、ジェレミー・ベンサムは、社会のすべての人々が自分の幸福を自由に追求できる社会こそ最善だと考えました。この「最大多数の最大幸福」は、自分の幸福のみを追求する利己主義を否定して、社会全体の幸福を追求しようという功利主義の原理となりました。

日常会話で「あいつは功利的なやつだ」というときには、利己主義者を指しています。しかし功利主義とは、自分のみならず他者をも含んだ公共の福祉を増進しようという思想です。日本の功利主義研究者たちは「日本公益（功利）主義学会」に集っています。功利主義は利己主義を否定します。

ここで社会主義の視角から考えましょう。自由主義の原理は、本人が楽しければ何をやってもよいとします。しかしそれだけでは社会秩序が保てないので、他者危害原理を加えます。この原理は個人の幸福だけではなく、他者の幸福をも考慮している点で、社会主義に接近しています。さらに、個人の幸福のみを追求する利己主義を否定して最大多数の最大幸福を追求する功利主義は、一部の個人ではなく社会のすべての人々に焦点を当てる点で、社会主義にいっそう接近しています。

このように自由主義は誕生の当初から、個人の自由という原理だけでは完結しえず、社会主義的な要素をもつ正義・権利・平等・功利を原理の次元で取り込まざるをえませんでした。逆説的ですが、自由主義は社会主義の支えがあって初めて存続可能なのです。ですから、自由主義社会の中にもすでに、社会主義は「ここにある」のです。

自由主義の発展としての社会主義

近代市民社会の幕を開いたフランス革命のスローガンは「自由・平等・友愛（博愛）」だったといわれます。しかし、これは革命からしばらく経った後に採用されたもので、革命直後のスローガンは「自由・平等・所有・功利」でした。マルクスが『資本論』で提示した「自由、平等、所有、そしてベンサム」

は、この自由主義の原理を的確に表現しています（『マルクス＝エンゲルス全集』第23巻、230ページ）。さらに自由主義では、自由・平等・所有・功利についての権利＝正義が、基本的人権として法的に保障されます。

よって自由主義の原理は、「自由・平等・所有・功利・正義」とまとめることができます。それに対して、社会主義の原理は、後述するように「共同と本質（自己実現）」です。両者の原理は異なりますが、社会主義は自由主義の原理を否定するのではなくて、より実質化することを追求した結果ともいえます。

では、社会主義が自由主義の原理をより実質化するというのは、どのようにしてでしょうか。一つ一つ見ていきましょう。

まず、最も重要な「自由」の原理について。自由主義の帰結として生じた資本主義社会では、労働者は形式的には、自分に合った職業を選択したり、稼いだお金で好きなものを買ったりする自由があります。しかし、企業の中では資本家の命令に従わなければならない不自由な立場にあります。やりたくない仕事を命令されたからといって出勤を拒否したら、解雇されて生活に困ることになります。

それに対して、社会主義は、労働者自らが生産手段の所有者となることによって、労働とその成果について自由に決められる主体になることをめざします。

続いて、「所有」について。自由主義は、自分の身体を駆使してつくったものは自分のものであると考えます。この「自己労働に基づく所有」という原理は、私的所有の基礎をなします。初期自由主義が理想とした、自立した自営業者からなる社会は、この原理を基礎にしていました。

ところが、私的所有に基づく自由主義から派生した資本主義社会では、資本家は働かずに労働者のつくりだした剰余生産物を取得し、労働者は自分のつくったものやそれを売った対価をすべて取得することができません。つまり資本主義の社会は、自己労働に基づく所有から出発していながら、この原理を否定しています。

この矛盾に対して、社会主義は、生産手段の社会的所有を通じて、労働者がそれぞれの労働に応じて生産物を取得できるようにし、自己労働に基づく所有を再建します。

「正義」の原理はどうでしょうか。自由主義は、私的所有を人間の基本的人権にまで高めて絶対不可侵とし、これこそが唯一の正義であると主張しました。私的所有の根底には自己所有権がありま す。資本家による剰余生産物の搾取は、労働者が身体を駆使して生産した剰余生産物を働かずして取得する点で、自己所有権に照らして不正な行為です。これは資本主義における私的所有が不正義に基づくことを意味します。

したがって、自由主義が提唱した私的所有の正義は、様々な正義の中の一つにすぎません。このことは、自由主義の正義は絶対ではなくて、社会主義的な正義も可能であることを意味します。

次は「功利」の原理について。ベンサム的な功利とは、諸個人が自らの主観に従って幸福を追求することでした。資本主義社会では、それは生活に必要な商品を購入することによって実現されます。しかし、労働者の所得(賃金)は生活するのに精一杯な水準に抑えられているために、欲しいと思うもののすべてを購入できません。社会主義は労働者への分配を増やすことによって、彼らの消費生活を豊かにし、効用を高めます。

18世紀の資本主義を観察していたアダム・スミスによれば、資本主義は経済成長を通じて、資本家のみならず労働者階級の生活をも豊かにするはずでした。ベンサムの功利主義は、スミスの資本主義観を受け継ぎ、この社会がすべての階級の公益にかなうことを倫理的に基礎づけようとしました。

しかし社会主義の観点からすれば、資本主義は資本家階級を豊かにするだけで、労働者階級の貧困を深刻化させます。それゆえ功利主義のいう「最大多数の最大幸福」を実現することができません。そこで社会主義は、階級の廃絶によって社会のメンバー全員の幸福度を高め、功利主義の本来の目的を達成しようとします。

「平等」についてはどうでしょう。自由主義は、諸個人の自由を万人に対して平等に保障しなければ社会秩序が保てないために、法の下の平等という形でこの原理を取り込んでいました。社会主義の観点からすると、諸個人の共同した自己実現のためには、彼らの間に経済的にも平等な関係がなければいけません。そこで社会主義は、搾取と階級を廃止することによって、諸個人の平等を自由主義以上に推進します。

フランス革命の有名なほうのスローガンには、自由・平等の後に「友愛（博愛）」がありました。友愛は、共同と同じく社会主義への方向性を有する概念です。個人の自由を最高原理とする自由主義では、競争関係の中で人間関係が分断され、諸個人は孤立してしまいます。そこで、それを緩和するために、精神論的な響きのある友愛という曖昧な表現が自由主義に取り込まれたのです。

しかし、現実の自由主義社会は資本家と労働者からなる階級社会であって、資本家と労働者の間に共同の関係が成立することはありえません。自由主義の枠内では、正義や功利の原理は個人主義や私的所有の影響が強く、平等や友愛の原理も不十分な程度にとどまります。そこで社会主義は、搾取と階級の廃止を通じて正義や功利の基準を民主的な協議の対象とし、平等や友愛も形式的な次元から実質的な次元へと引き上げます。

つまり、自由主義が社会編成の原理として成立するために取り込んだ諸価値を、社会主義はもっと充実させようとするのです。ですから、私たちが自由主義を推進しようとするならば、社会主義をいっそう導入せざるをえないのです。この意味で、社会主義は自由主義の発展です。自由主義が「ここにある」とすれば、社会主義はなおのこと「ここにある」のです。

社会主義の原理

上述のように、社会主義は人々が社交し、コミュニケートするような社会をめざす思想でした。人々が社交し、コミュニケートするような社会をめざすことを、私は共同主義と呼んでいます。社会主義の共同主義は、自由主義の個人主義とは対照的です。自由主義は、個人が社会の束縛から逃れて自由に生きることを推奨します。それに対して社会主義は、人間は社会関係の中で他者と交流することで自己を実現させることができると考えます。

社会主義が共同主義の立場をとるのは、人間の自己実現にとって人間どうしの共同が不可欠だからです。人間は誰でも何らかの潜在能力をもっており、それを実現しようとします。第1章で述べた通り、自己実現とは潜在能力の自由な現実化と外面化です。

潜在能力の自由な現実化だけではなく、外面化を伴ったときに初めて自己実現は達成されます。ですから社会主義において、人間どうしの共同は不可欠なのです。

自己実現こそが人間にとって最高の価値であるという考え方は、完成主義（perfectionism）と呼ばれ、卓越《たくえつ》主義と訳されることもあります。完成とか卓越というと、完全無欠の超人をめざさねばならないという思想と誤解されがちですが、そうではなく、諸個人が有する潜在能力を自由に、そして納得がいくまで発揮することをいいます。人によって完成や卓越の内容は異なっていて当然です。

人間が社会的存在であり、共同関係の中でこそ初めて自己実現できることを、マルクスは「類的本質」（Gattungswesen）としての人間と表現しました（『マルクス＝エンゲルス全集』第40巻、438ページ）。この本質（Wesen）は「存在」と訳されることもあります。つまり、社会の中で自己を実現することに、人間としての本質または存在意義があるという考え方です。この観点からすると、完成主義は本質主義と言いかえることもできます。[※1] 人間がこの「類的本質」を喪失した状態を、マルクスは「疎外」と呼びました。本書ではこの本質主義という言い方を採用します。

近年の倫理学では、「徳の倫理学」や「ケアの倫理」が、従来の主流であった義務論や功利主義に代わる理論として脚光を浴びています。徳の倫理学は完成主義に近く、特に人格の卓越を重視します。ケアの倫理は、人間が脆弱《ぜいじゃく》な他者への配慮を有する点に着目します。

正義や権利に最大の価値をおく義務論や、個人の効用の合計を最大化しようとする功利主義は、独立または孤立した個人を大前提とする自由主義の枠内にありました。徳の倫理学やケアの倫理は、人間は初めから、そして常に、社会の中でこそ自らの存在意義を見いだす存在であるという考え方に立脚しています。これが社会主義の本質主義と通底することは明らかです。

つまり社会主義の原理は、共同と本質からなります。資本主義が生活のすみずみにまで浸透し、諸個人が孤立化して、自己実現の機会を失いつつある今日、共同関係の回復への指向が徳の倫理学やケアの倫理を台頭させたともいえるでしょう。この状況も、自由主義から社会主義への移行が進んでいることを意味します。

社会主義の一部分としての自由主義

では、先に見た自由主義の原理と社会主義の原理はどういう関係にあるでしょうか。上述のように、社会主義は自由主義の原理を最大限に尊重します。しかしそれと同時に、自由主義の原理だけでは限界があることも直視しています。自由主義の原理に限界があるという事実は、自由主義自身が自覚していることでした。

まず自由と所有について、個人の自由から出発した自由主義は、社会の基礎に私的所有権をおきます。しかし、それは必然的に悲惨な戦争状態に陥ります。そこで自由主義は、他者危害原理という但し書きをつけます。これによって自由主義は、個人の自由と私的所有に自ら制約を加えました。自由主

※1…マルクスの本質主義は人間本質主義であって、人種・性別の相違にかかわらず、人間であれば共通の類的本質をもつという考え方です。ですから何らかの属性をもつ集団に本質を見いだすような「本質主義」とは正反対です。

義は私的所有を通じた個人の自由が絶対的な原理であることを否定した、すなわち自由主義の不完全性を自ら承認したのです。

社会主義は、自由主義による自らの不完全性の承認を継承します。個人の自由を最大限に尊重するためには、逆説的ながら個人の自由と私的所有を一部で制限せねばならないという現実を、自由主義は前提とします。そして、この現実に立脚して社会を編成するという自由主義のプロジェクトを、社会主義は引き継いでいるのです。

正義・平等・功利についても同様のことがいえます。

確かに社会主義者は、資本主義における搾取の不正を告発するときに正義の概念を活用するのであって、この概念を駆使して社会変革の運動を進めます。

しかし第一に、「何が正しいか」は立場によって見解が異なります。たとえば2003年にアメリカのジョージ・W・ブッシュ政権が引き起こしたイラク戦争に対しては、「正義と平和のための連合」などの反戦団体が抗議活動を展開しました。しかしブッシュ大統領はイラクへの侵攻を「正義の戦い」として正当化しました。正義は最終的な判定基準にならないのです。

第二に正義の倫理は、これと対照的なケアの倫理が指摘するように、国家の権力であれ道徳的圧力であれ、何らかの力によって相手をねじ伏せようとする性質をもっています。社会主義は、正義に訴えて強制的に問題を解決するのではなくて、人々が相互に関心を共有して話しあいを続けるような社会を、最終目標として追求します。

社会主義の原理は平等だと理解している方が多いと思います。社会主義は確かに平等を尊重します。成員間の平等な関係は、共同のための前提条件です。しかし平等は、社会主義における究極的な原理として位置づけられるわけではありません。

なぜなら社会主義は、平等が共同と対立する場合には共同を優先するからです。社会主義はその制度的条件として生産手段の社会的所有をめざすのであって、生産手段の平等所有をめざすのではありません。今日の株式会社による生産活動はきわめて社会的な性格をもっています。この会社を個人に平等に分割して多数の自営業とすることは、生産の社会性を損なうことになります。

消費手段についても同様です。公園のような共同消費手段を個人に平等に分配すれば、個人の庭は少し広くなるでしょうが、それでは人々が交流する場としての公園の機能はなくなります。

社会主義において平等の理念は不要になるのではありません。それが共同の理念と対立するときは、共同のほうが優先されるということです。この意味で、平等は社会主義の究極的な原理にはなりえないのです。

最後に功利の観念は、人は自分が主観的に幸せだと思っているのであれば自由にしてよいという、幸福についての主観主義に立脚しています。しかし、たとえば車のシートベルトを着用したくないという自由は、すでに日本の法律でも制限されています。これは幸福について一定の客観的基準があるという客観主義です。社会主義は上述の類的存在としての人間という観点から、幸福についての客観主義をとります。ですから社会主義は、最終的には功利の原理を退《しりぞ》けます。

社会主義の究極的な原理は共同と本質であり、自由主義の原理は自由・平等・所有・功利・正義です。社会主義は自由・平等・所有・功利・正義を尊重しますが、共同・本質とそれらが対立したときには共同・本質を優先します。

もう一度強調しておきたいのは、個人の自由を唯一の原理とするだけでは社会の編成は不可能であることを自由主義自身が自覚しており、平等のような社会主義に近い価値を自由主義が取り込もうとしてきたことです。この点で、社会主義は自由主義が取り組んだプロジェクトの継承者なのです。

社会主義は、自由主義がその限界を超えようとする営為の中から登場してきた思想であり、社会主義は自由主義よりも射程に収める領域が広くなります。それゆえ社会主義の原理は、自由主義の原理をその一部分として包含《ほうがん》します。自由主義の限界が深刻になりつつある今日、社会主義を適用することで問題が解決する場面は増えつつあります。社会主義が「ここにある」状況はますます広がっているのです。※2

※2…本章について詳しくは、松井暁『自由主義と社会主義の規範理論』をお読みください。

SOCIALISM IS EVERYWHERE

第4章

生産手段・労働・分配

私有財産制と共有財産制

社会主義を批判する人々の多くは、共産主義社会と共有財産制について、次のような印象を抱いています。「私有財産制に基づく資本主義社会では、個人が働いた成果は自分のものであるのに対して、私有財産制を否定して共有財産制をとる共産主義社会では、働いた成果は国家に取り上げられて、みんな貧乏になってしまう」。この印象には大きな誤解があることを本章では明らかにします。問題は二つに分けられます。

第一に、私有財産制の基礎にあるのは、「自分が働いてつくりだしたものは自分のものである」という観念です。第3章でも述べた「自己労働に基づく所有」です。上述のような先入観をもつ人は、資本主義社会ではこの自己労働に基づく所有が成り立つのに、共産主義社会では成り立たないと想定しています。

第二に、上述の先入観を抱いている人はさらに、次のように想定しています。「私有財産制における私有物は自由に使えるのに対して、共有財産制における共有物は自由に使えない」。

これらの想定が本当に妥当なのかどうかを本章では考えます。ただし、議論がけっこう複雑です。一つひとつ論理を積み重ねながら説明しますので、少々辛抱してお付き合いください。

労働説と生産手段説

ここでは私有・共有財産制の問題を、「労働説」と「生産手段説」という観点から検討します。

経済学において所得の分配とは、私たちが労働や投資などの経済活動を通じて所得を得ることです。所得の再分配とは、政府が私たちの所得に課税して集めた税金を資金として、教育や社会保障、あるいは公園や道路のような社会資本の整備などに充《あ》てることです。分配と再分配の違いをはっきり理解しておいてください。

資産の配分と所得の分配は、前者が後者を決定する関係にあります。資産をもっている有産者は、それだけ多く所得を得るでしょう。政府が所得の再分配によって貧しい無産者の所得を補助することは、一時的には効果をもちますが、有産者と無産者の階級格差を廃絶するわけではありません。ですから、人々の生活の豊かさにとってより重要なのは、資産の配分のほうです。

生産の二大要素は労働力と生産手段です。生産手段とは土地・工場・機械・原材料などです。

ここで、所得分配の根拠として、労働力と生産手段のいずれが決定的かという問題があります。たとえば、海でAさんが魚を銛《もり》でついて獲り、海辺の籠《かご》に入れておきました。そこへBさんが通りかかって、籠の中にある魚を自分の袋に入れて持ち去ろうとしました。海から戻ってきたAさんがそれを見つけ、「これは私が獲った魚だから返せ」といいました。このときAさんが魚の所有権を主張する根拠は、Aさんが労働して得た生産物だから、という点にあります。これを所得の根拠としての労働説と呼びましょう。

もう一つ例え話です。Cさんの家の庭には柿の木があり、放っておいても秋には実がなります。ある秋の日、Cさんの家の前を通りかかったDさんが、熟した柿の実を見つけ、一つもぎ取って食べようとしました。たまたまそれを見ていたCさんは、「それはうちの柿だから返しなさい」とDさんにいいました。この場合にCさんが柿の実の所有権を主張する根拠は、Cさんが労働したからではなくて、Cさんの土地、すなわち生産手段から得られた生産物だから、という点にあります。これを所得の根拠としての生産手段説と呼びます。

自己労働に基づく所有

これら労働説と生産手段説が、歴史的にどのような役割を果たしてきたのかを考えましょう。

中世封建制のヨーロッパでは、農奴は自らの純生産物の一部を領主に搾取されていました。純生産物とは、総生産物から生産のために費やした生産財を差し引いた部分です。たとえば、春に10kgのコメを種としてまいて、秋に100kgのコメが収穫されたなら、総生産物は100kg、生産財は10kg、純生産物は90kgです。

封建的な搾取においては、たとえば農奴は月・火・水曜日には領主の農地で働き、木・金・土曜日には自分の農地で働きました。領主の土地で採れた作物は領主の所有物に、自分の土地で採れた作物は自分の所有物になりましたから、この場合に農奴が月・火・水曜日に労働して生産した作物を領主に搾取されていることは明白です。わかりやすくいえば「タダ働き」ということです。

自由主義の父ジョン・ロックは、このような封建的搾取を批判し、生産物の所有権はそれを直接に生産した者にあるという労働所有権を主張しました。封建時代末期には、農奴の身分から解放された独立自営農民のような独立生産者が登場し、単純商品生産が広がりつつありました。

単純商品とは、たとえば豆腐のように個人でも生産できる商品で、自動車のように協業でないと生産できない複雑商品の反対概念です。単純商品生産は古代にはすでに出現しています。単純商品生産は、一つの社会体制として確立することはありませんでしたが、封建時代末期に普及して、資本主義を準備する役割を果たしました。

独立生産者とは、今日でいう自営業者のことです。英語にポッターやテイラーといった名字が多いのは、独立生産者の職業が名字になっていたことを示しています。ポッターさんなら陶器をつくる職人、テイラーさんなら仕立屋でした。

このような独立生産者の間で商品交換が活発化し、市場経済が広がっていきます。自らの土地で自らの労働を駆使して得られた生産物は、労働した本人のものであるという労働所有権の思想は、単純商品生産における独立生産者の利益を代弁するものでした。

単純商品生産では、独立生産者が自らの生産手段、たとえば作業場をもち、自らの労働力で単純商品を生産しました。ですから、労働説と生産手段説のいずれも該当します。しかし自営業者の中には、誰にも所有されていない海という生産手段から魚を獲る漁師のような生産者もいます。ですから、これは自分が労働して得た生産物だという意識が強く、労働説のほうが説得力をもっていました。

この意識を理論化したのが、先ほど紹介したロックでした。人間の身体は本人のものであるという自己所有権から、その身体を駆使して（すなわち労働して）得た生産物も本人のものであるという私有財産権を演繹《えんえき》しました。単純商品生産では、こうして自己労働に基づく所有という観念が支配的となります。

より詳しく考察するために、生産物も生産財（種子）も同じ穀物からなり、農具は使用しない1財モデルで考えてみましょう。穀物農業を営む自営農民を想定し、以下のように仮定します。

穀物の総生産量：400kg
生産で消耗した穀物（種子）：40kg
人間一人が一年間生きていくための必要生産物：180kg

以上の仮定は、図表4-1のように表せます。このケース（1）では農民Aさんは40kgの種をまき、毎日働いて、年間に400kgの総生産物を収穫しました。この場合、純生産物360kgがそのままA

さんの所得となります。Aさんが一年間生きていくための必要生産物は180kgですから、残りの剰余生産物は180kgであり、これも当然ながらAさんのものです。

この場合、自営農民は二大生産要素のうち、生産手段も労働力も所有しています。農民は自分の土地で自分自身が労働し、生産物を収穫します。この農民は「自分で汗水流して働いて得た作物なんだから、これは自分のものだ」と思っています。みなさんもこれを当然と思うでしょう。まさに「自己労働に基づく所有」です。単純商品生産による市場経済では、この自己労働に基づく所有が基本原理でした。

単純商品生産が拡大した結果、労働する能力すなわち労働力も売買の対象となり、資本家が労働者を雇う生産形態が一般化して、資本主義社会は確立しました。労働力商品の価格が賃金です。

ですから資本主義社会も、自己労働に基づく所有の観念を基盤にしています。「誰もが一生懸命働けば金持ちになれる」というアメリカン・ドリームもこの観念から生まれました。そして「資本主義社会では働いた分だけ自分のものになる」というみなさんのイメージも、この自己労働に基づく所有の観念に立脚しています。

◉図表4-1　ケース（1）自営農民

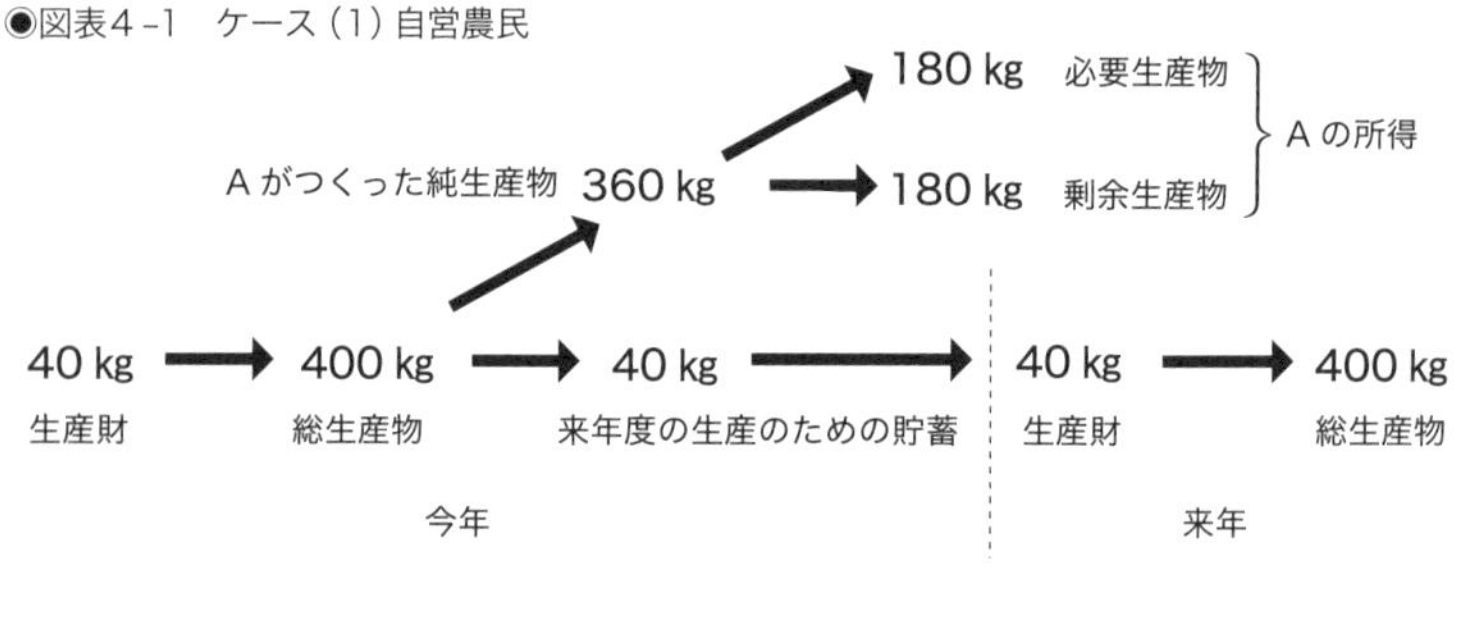

資本主義経済

資本主義経済の基礎は市場経済です。ただし、資本主義経済と市場経済はしばしば混同されますが、厳密にいえば両者は異なります。市場経済は、単純商品生産として農耕と牧畜が始まった紀元前1万年から存在しました。資本主義経済は、生産手段をもつ有産者が、労働力しかもたない無産者を雇用して、両者が資本家と労働者になったときに確立します。

とはいえ資本主義経済が、商品を生産し交換する市場経済に基づくことには違いありません。先ほど述べた通り、単純商品生産からなる市場経済の基本原理は、自己労働に基づく所有でした。それゆえ、資本主義も自己労働に基づく所有を基本原理とすると誰もが思い、「資本主義社会では働いた分だけ自分のものになる」という観念が生じるのです。

しかし、ここには大きな誤解があります。実は、「資本主義社会では働いた分だけ自分のものになる」わけではないのです。

このことを理解するために、先のモデルの続きとして、ケース(2)を考えましょう。もう一人の労働者Bさんが登場します。Bさんは自分の労働力以外に何ももたない無産者であり、Aさんの農場で雇ってもらわなければ、食べものが買えず死んでしまいます。

労働者一人が一年間生きていくための必要生産物は、人間みな等しいと考えると、Aさんと同様に180kgです。Bさんは、Aさんの農場でどんなつらい仕事でもするから働かせてくれとAさんに頼み、労働契約が結ばれたとしましょう。このときAさんは資本家となり、Bさんはそのもとで働く労働者となります。Bさんの賃金は、穀物に換算して年間180kgとなるはずです。

なぜでしょうか。資本家であるAさんの側からすれば、Bさんに与える賃金は少なければ少ないほどよいのです。しかし180kgを下回ってしまうと、Bさんは必要生産物を得ることができません。必要生産物とは、労働力を再生産するために必要な消費財のことです。労働力とは労働するためのエネルギーです。労働者は一日働いて帰宅すると、疲れてへとへとになっています。それは労働エネルギーが枯渇《こかつ》しているからです。夕飯を食べ、お風呂に入ってしっかり睡眠をとると、翌朝再び元気いっぱいで仕事に出かけます。

このようにして労働者は、家庭で消費財を消費することによって、労働力をくり返しつくりだしています。労働者は必要生産物が得られないと労働力の再生産ができず、生存不可能になります。要するに、Bさんは飢えて働けなくなってしまうということです。

もともとAさんは自分自身で毎日働き、年間360kgの純生産物を獲得していました。必要生産物は180kgだから、180kgが残ります。余った残りなので、これを剰余生産物といいます。労働契約が交わされた後、資本家となったAさんは、必要生産物180kgを賃金としてBさんに渡します。Aさんは剰余生産物180kgを自分の儲《もう》け（利潤）として獲得します。

これをBさんの側から見てみましょう。Bさんは直接生産者として毎日Aさんの農場で働き、年間360kgの純生産物をつくりだします。そのうち180kgを賃金として受け取ります。残りの180kgは利潤として、雇い主であるAさんのものとなります。しかしこの剰余生産物180kgは、労働者Bさんがつくりだしたものです。ケース（2）は図表4-2のように表すことができます。

Ａさんも Ｂさんも年間１８０kgを得ていますから、二人とも生活していくことはできます。とはいえ、Ｂさんがあくせく働いているのに、Ａさんは全く働かずに、Ｂさんのつくった純生産物の半分をまるまる巻き上げています。３６０kgの純生産物は、すべてが労働者であるＢさんのつくりだしたものなのに、Ｂさんは純生産物すべてを受け取ることができません。

この場合に、労働者Ｂさんがつくりだしたうちの剰余生産物１８０kgについては、自己労働に基づく所有は成立していません。Ａさんは、Ｂさんという他人が労働した生産物を、働かずに所有しています。すなわち資本家Ａさんによる剰余生産物の所有は、自己労働に基づく所有ではなくて、Ｂさんという他人の労働に基づく所有なのです。

ケース（１）では、直接生産者であるＡさんが純生産物３６０kgをすべて得ていました。そこでは自己労働に基づく所有の原則が成り立っていました。ところがケース（２）では、直接生産者である労働者Ｂさんは純生産物の半分、１８０kgしか得られません。なぜでしょうか。それは、生産手段と労働力という二大生産要素のうち、労働者の側が労働力しかもたないのに対し、資本家が土地と種子という生産手段を所有しているからです。このように、無産者が直接に生産した純生産物

◉図表4－2　ケース（2）資本主義経済

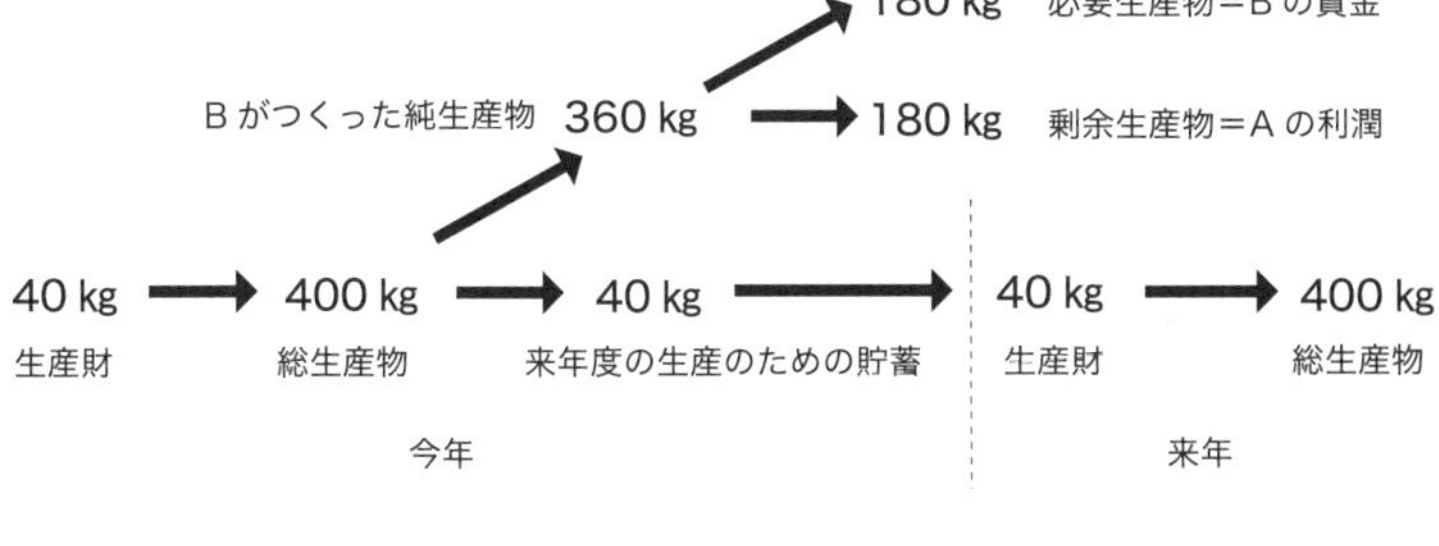

のうちの剰余生産物を有産者が取得することを、剰余生産物の搾取といいます。資本主義経済においては、資本家Aさんと労働者Bさんは、搾取者と被搾取者という関係にあります。

ここで、資本主義社会における労働説と生産手段説の関係について考えましょう。労働者の立場からすると、360kgの生産物を生産したのはそのために労働した自分なのに、賃金として半分しかもらえないのは搾取です。労働者がこのように主張するのは、所得の根拠を労働に求める労働説に立脚しているからです。

逆に資本家の立場からすると、自らは働いていないにもかかわらず360kgの半分を取得することができるのは、資本家が土地や種子という生産手段を提供しているからです。これは所得の根拠を生産手段に求める生産手段説です。

このように、労働者と資本家のどちらの立場に立つかによって、労働説と生産手段説のいずれを支持するかが分かれることになります。歴史的にふり返ってみると、労働者が支持する労働説は、かつての独立生産者たちが支持した、単純商品生産における労働説の延長線上にあります。資本家が立脚する生産手段説は、労働説と対立します。

これは考えてみると奇妙な現象です。資本主義は単純商品生産が拡大する中で誕生したのですから、もともと労働説を根拠にしていたはずです。しかし実際には、資本家の所得の根拠となるのは、労働説の反対である生産手段説でした。労働者は「働いた分だけ自分のものになる」労働説を支持しているのですが、それは資本家による搾取によって現実には否定されます。ロックは私有財産の根拠を自己労働に基づく所有に求めていました。しかし、私有財産を前提とする資本主義社会は、自己労働に基づく所有を否定するのです。

単純商品生産の復活

では、労働者にとって「働いた分だけ自分のものになる」ようにするにはどうしたらよいでしょうか。上述のケース(1)で、自己労働に基づく所有が成立したのは、直接生産者であるAさんが労働力とともに生産手段(土地や種子)を所有していたからです。よって、自己労働に基づく所有を再び実現するためには、直接生産者が生産手段を所有するようにすればよいのです。それはつまり、単純商品生産をおこなう独立生産者からなる社会を復活させることです。

リカード派社会主義者たちはこのように考え、労働説に基づく社会をめざしました。市場経済ではあるけれども、資本主義のような搾取は存在せず、独立生産者たちが自由に商品を交換しあう社会です。

19世紀前半のイギリスでは、18世紀後半に始まった産業革命が本格化して熟練職人が失業し、第二次エンクロージャー(囲い込み運動)によって農民はますます土地から追い出されました。リカード派社会主義は、このように資本主義経済の発展から取り残された人々による、単純商品生産を復活させようという再興運動でした。

しかしこの構想は、現代では現実性がありません。現代資本主義経済においても、一部には豆腐屋さんのように単純商品生産にたずさわる自営業者は存在しますが、圧倒的多数は自動車やパソコンのような複雑商品です。それらは個人の独立生産者によってではなく、会社企業において、多くの労働者の協業によって生産されます。したがって、現代において単純商品生産を主とした社会を復活させることは不可能なのです。

労働に応じた分配

では、複雑商品を生産する会社企業が中心の現代資本主義社会において、自己労働に基づく所有を実現するにはどうしたらよいでしょうか。それは生産手段である会社企業を、そこで働く労働者自身が所有し運営することです。これこそ社会主義者が追求する「生産手段の社会的所有」なのです。労働者が集団的に会社企業の生産手段を所有し、それを民主的に運営できれば、資本家による搾取は廃止され、労働者が生産した純生産物、またはそれを価格表示した付加価値は、彼ら自身の所有となります。

ただし、労働者が集団として生産手段の所有者となっているわけですから、生産物を労働者の間でどのように分配するかという問題が生じます。マルクスは『ゴータ綱領批判』において、共産主義社会の分配原則について、この社会を2段階に分け、低次段階では労働に応じた分配すなわち貢献原則が、高次段階では能力に応じて働き、必要に応じて分配される応能必要原則が適用される、という提案をしました。

共産主義社会の低次段階で適用される貢献原則は、独立生産者による単純商品生産では通用していました。自分が働いた分だけ報酬が得られるのは、まさに貢献原則です。この原則は、資本主義社会においては資本家による搾取によって阻害されていました。共産主義社会の低次段階はこの原則を再建します。

ただし、上述のように単純商品生産の復活は無理ですから、複雑商品を生産する労働者の生産協同組合においては、この原則を適用しようとマルクスは考えたのです。資本主義社会では労働説は資本家によって否定されました。共産主義社会の低次段階でこそ労働説が通用するのであり、「働いた分だけ自分のものになる」のです。

生産手段説の台頭

共産主義社会の低次段階では労働説が適用されると述べました。しかし、次第にこの社会では労働説の比重は小さくなり、逆に生産手段説の比重が大きくなります。それには社会的要因と技術的要因があります。

社会的要因としては、労働の社会化が挙げられます。まず労働力については、生産力が発展する中で、生産は個人的な形態から社会的な形態へとますます変化していきます。もともと労働説は個人による単純商品生産を前提にしていましたが、複雑商品は多数の労働者による協業によって生産されます。現代の商品はほとんどが複雑商品であり、一つの生産物について誰の労働がどの程度に貢献したのかを察知することは不可能です。

技術的要因としてはＭＥ（マイクロエレクトロニクス）化や情報化、特に最近のロボットやＡＩ（人工知能）の登場により、生産に占める生産手段の比重がますます大きくなり、労働の占める割合は小さくなっています。今日ではロボットやＡＩのために仕事が失われるという議論が見られます。これは生産における労働の比重が小さくなっていることの表れです。

それゆえ、共産主義社会の高次段階では労働説ではなくて、生産手段説が支配的となります。生産手段がすでに社会的所有となっているのですから、わざわざ労働説をとる必要はないのです。

ではなぜ、すでに生産手段が社会的所有になっている共産主義社会の低次段階で労働説が採用されたのかというと、そもそも単純商品生産における自己労働に基づく所有という観念が、資本主義社会の基底に残存していたからです。それゆえ共産主義社会の低次段階では、資本主義の所得分配では否定されていた労働説を復活させることが目的とされたのです。

資本主義社会では、労働者が生産した付加価値のうちその一部が資本家に搾取されているという搾取論は、労働説に依拠していました。付加価値を生産したのが労働者であることは客観的事実であり、搾取論と労働説はこの事実に基づいていました。

しかし上述の社会的要因と技術的要因によって、共産主義社会では労働説はその根拠を次第に失っていきます。しかも生産手段はすでに社会的所有となっているのですから、共産主義社会の高次段階では労働説はその根拠を失い、生産手段説にその座をゆずります。生産手段の社会的所有が実現した社会においては、それを用いた生産の成果に対して「誰がどのくらい貢献したか」を問うことはあまり意味をもたなくなるのです。

必要に応じた分配

では、どうして多くの人が「共産主義社会では働いた分が自分のものにならない」と思っているのでしょうか。その原因は、貢献原則と対《つい》になる概念である「必要原則」にあります。マルクスは、共産主義社会を2段階に分け、低次段階では貢献原則による分配を、高次段階では必要原則による分配を構想しました。貢献原則については、先の説明で、決して特殊なものではないことは理解していただいたと思います。一方の必要原則は「各人にはその必要に応じて」と表現されます。この原則は自然でしょうか。それとも奇異でしょうか。

必要原則は、私たちの日常にもよく見られます。たとえば、ある家族が両親と3人の子どもから成り立っているとしましょう。3人の子どもは上から中学生、幼稚園児、そして乳児だとします。さて、毎度の食事において食べものをどう分配するのが適切でしょうか。中学生は食べ盛《ざか》りで、両親と同じくらい食べるでしょう。乳児はほんの少ししか食べないでしょう。それは身体の発達度が異なるため、食料に対する必要度も異なるからです。このような場合には、3人の子どもに「必要に応じて」食事を分配するのが適切でしょう。

必要原則は社会的な場面でも見られます。福祉国家では、教育・医療・福祉は必要原則によって分配されます。たとえば身体障害のある人は、生活を営むうえで補助器具などの必要度が高くなりますから、その分だけ健常者よりも多くの資源（給付金やサービス）が分配されます。高等教育を受ける意思がありながら家庭が貧困な人には、奨学金や学費免除のような制度があります。これも必要原則に基づいています。

福祉国家は資本主義市場経済を前提にしていますが、共産主義社会の高次段階で基本となる必要原則は、すでに資本主義社会の中でも一部に適用されているのです。必要原則は自己労働に基づく所有、そして私有財産を部分的に否定しています。※1

現在、日本の国家予算の3分の1を占める社会保障について、新自由主義派は「受益者負担」を求めて切り崩しを図っています。しかし、いずれの先進国でもその企《くわだ》ては失敗しています。今日では社会保障は私たちの生活に不可欠であり、新自由主義のイデオロギーをもってしても大幅に削減することは不可能なのです。社会保障は社会主義の原理である必要原則に基づいています。したがって私有財産の否定は、すでに「ここにある」のです。

能力に応じた労働

『ゴータ綱領批判』における「各人にはその必要におうじて」という原則の前には、「各人は能力におうじて」という記述があります。これを応能原則と呼びましょう。※2 これは「各人が自らの能力に応じて、望むだけ自由に能力を発揮できる」という意味です。応能原則に対する誤解が、「共産主義社会では働いた分が自分のものにならない」という、さらなる誤解をもたらしています。このスローガンが出てくるマルクスの文章を詳しく見てみましょう。

「共産主義社会のより高度の段階で、すなわち個人が分業に奴隷的に従属することがなくなり、それとともに精神労働と肉体労働との対立がなくなったのち、労働がたんに生活のための手段であるだけでなく、労働そのものが第一の生命欲求となったのち、個人の全面的な発展にともなって、またその生産力も増大し、協同的富のあらゆる泉がいっそう豊かに湧きでるようになったのち――そのときはじめてブルジョア的権利の狭い視界を完全に踏みこえることができ、社会はその旗の上にこう書くことができる――各人はその能力におうじて、各人にはその必要におうじて！」（『マルクス＝エンゲルス全集』第19巻、21ページ）。

ここでは応能原則が共産主義社会の高次段階で初めて採用されることが述べられています。では、共産主義社会の低次と高次の段階を区別する基準は何でしょうか。それは生産力の発展段階です。

私たちはすでに、所得の根拠としての労働説と生産手段説の違いについて見てきました。労働説は単純商品生産において支配的であり、資本主義社会の前提となります。しかし実際には資本家は、労働説を否定して労働者を搾取するので、労働者は労働説に立脚して搾取を批判しました。

生産手段が社会的所有になった共産主義社会では、所得の根拠は生産手段にあるはずなのですが、資本主義社会における労働説が共産主義社会の低次段階でも残存するがゆえに、労働説に基づく貢

※1…ロバート・ノージック『アナーキー・国家・ユートピア』を参照。
※2…ここでの応能原則の「応能」は負担のことではないので、負担原則について応益負担と応能負担とに分類する場合の「応能」とは異なります。

献原則が採用されたのでした。しかし共産主義社会では、労働の社会化が進行し、しかも生産に占める労働の比重が小さくなります。そこで労働は分配の原理から外れ、貢献原則は効力を失います。

共産主義社会の2段階と分配原理の関係についてしばしば見られる解説は、社会の発展段階と分配原理を媒介なしに結びつけようとしています。しかし所得の根拠として重要なのは、生産力の発展とそれに応じた労働の社会化、ならびに労働と生産手段の比重の変化です。これらの媒介があって初めて、分配原理の相違が説明可能となります。労働説と生産手段説にはいずれも「説」がついていますが、これらは現実の変化を反映していることにご注意ください。

労働の定義

これまで「労働」という言葉を断りなく用いてきましたが、ここで労働の定義を明確にしておきましょう。私は労働を「やむをえずに消極的にたずさわる経済活動」と定義します。たとえば、ある人の趣味は釣りで、釣ってきた魚を近所の人に配るとします。近所の人々は魚を夕食のおかずにできるわけですから、釣りという行為は立派な経済活動ですが、この人は趣味で釣りをしているのですから、この行為を労働とはいいません。

マルクスは、共産主義社会の高次段階では「労働がたんに生活のための手段であるだけでなく、労働そのものが第一の生命欲求」になるといっています。つまり、この社会では、誰もが釣り人のように自発的に経済活動にたずさわっているのです。マルクスはこの場合の活動も労働と呼んでいますが、私は紛らわしいのでこれを労働ではなく「自由な経済活動」と呼んでいます。高次段階では生産力が発展した結果、社会の存続のために人々が仕方なく労働するのではなくて、自発的な経済活動だけで十分になり、人々は労働から解放されています。

そのような社会は夢物語だという人もいるでしょう。確かに現在の資本主義社会では、過労死するほどに長時間労働を強《し》いられている労働者がたくさんいます。しかしこのような現象が起きるのは、資本家が費用を切り詰めるために労働者数を削減し、残った少ない労働者からより多くの剰余価値を搾り取ろうとするためです。

人間の生活に最も必要な食料・衣服のような必需品は、物質的な財です。現在の日本で産業別の就業者は、農林水産業すなわち第一次産業が5%、工業などの第二次産業が25%、サービス労働などの第三次産業が70%です。すでに財の生産にたずさわる就業者は、全体の3割程度になっているのです。日本はすでに物質的にはきわめて高度な生産力に達しています。

ロボットやＡＩの登場によって仕事がなくなるという議論をすでに紹介しました。「仕事がなくなる」というのは、資本家が労働者を雇用し、労働者は賃金として所得を得るという資本主義的な所得分配が機能しなくなってきたことを表します。

一日の労働時間を8時間とすれば、２０００年における日本の必要労働時間、すなわち生存に必要な消費財を得るために働かねばならない時間は3時間41分です。[※3] 生産性の上昇を考慮すれば、２０２３

※3…泉弘志『投下労働量計算と基本経済指標』第12章に基づいて計算。

年の現在ではもっと減少しているでしょう。生産力の発展段階としては、もはや自発的な経済活動だけで十分な段階に達しているのです。

19世紀の資本主義を観察していたマルクスは、資本主義社会から共産主義社会に移行したとしても、いまだ生産力は人々がやむをえず労働にたずさわらねばならない段階にあると予測しました。それゆえ、労働者が労働に積極的にたずさわるようにするため、貢献原則を設定したのです。

もう一つ、マルクスが共産主義社会の低次段階で貢献原則を設定した理由は、人々の意識にあります。資本主義社会に長らく暮らしてきた人々には、労働に基づく所有という考えがしっかりと定着しています。生産手段が社会的所有になった社会では、生産物を取得する根拠は労働ではなく生産手段の所有にあります。しかし人々の意識がそう簡単に変わるわけではありません。それゆえマルクスは、資本主義社会から移行した直後の低次段階では貢献原則を設定したのです。

貢献原則と応能必要原則の比較

話を戻しましょう。共産主義社会では「働いた分が自分のものにならない」というイメージは、応能必要原則に対する誤解から生じています。貢献原則における労働は、確かに仕方なくたずさわる経済活動ですから、誰にとっても労働量は少ないほうが好ましく、提供する労働量を減らそうとします。

これに対して、応能必要原則における「能力に応じた労働」とは、自発的に提供する経済活動であり、むしろ本人はその活動を通じて自己実現しています。ですから、誰が働いたか働かなかったか、誰がたくさん働いて誰が少ししか働かなかったかは、そもそも問題にならないのです。

誤解を解くために、共産主義社会における貢献原則と応能必要原則の相違を図表4-3を使って説明しましょう。両者とも、諸個人が社会に提供する部分と分配される部分の二つから成り立っています。

共産主義社会の低次段階においては、労働は所得を得るための手段であって、いやいやたずさわるもの、すなわち負担です。ですから労働した分に応じて所得が分配されるのです。

共産主義社会の高次段階では、生産力の発展、生産手段の社会的所有、労働の社会化と縮小化を通じて、労働は消滅します。その代わり、諸個人の自己実現としての自由な活動が経済を支えます。それは彼らの自発的な、すなわちボランタリーな活動ですから、所得を得ることが目的ではありません。ですから分配に際しても労働を基準にしなくてよいのです。

「能力に応じて」という表現は、ややもすると、能力を有する者はそれに応じて多くの労働を提供せねばならないという義務のように受けとられそうですが、そうではありません。何らかの能力を有する者は、

◉図表4-3　共産主義社会における貢献原則、応能必要原則

	提供	分配
共産主義社会の低次段階	貢献原則（応益負担としての労働）	貢献原則（労働に応じた分配）
共産主義社会の高次段階	応能原則（自己実現としての活動）	必要原則（必要に応じた分配）
誤　解	貢献原則（応益負担としての労働）	必要原則（必要に応じた分配）

それに応じて社会に貢献すればよいということです。たとえばダンスの能力のある人はそれを人々に披露する義務があるということではなくて、ダンス好きの人が人々の前で踊ることで喜びを得られるなら、そうすることによって本人は自己実現でき、観衆も楽しむことができるという意味です。

共産主義へのよくある誤解は、表の最下段のように、負担としての労働を提供しながら、必要に応じた分配がなされる状況を想定しています。労働をなるべく提供したくないのに、その報酬が労働した分に比例していなければ、不満をもつ人が現れるのは当然でしょう。しかしこのような原則の組み合わせは不合理であり、共産主義社会はそれを採用しません。

現代の資本主義社会でも、わずかですが、自分の能力を発揮して社会に貢献し、自己実現している人々はいます。私たち普通の人間であっても、自分の仕事が社会に役立っていると感じ、そこに生きがいを見いだすことはあるはずです。社会主義とは、そのような活動を通じた自己実現が得られる人々の数と、仕事全体に占める比重を増やそうという運動です。その萌芽は私たちのそばにあるのです。

共有財産制の可能性

共産主義社会の低次段階では労働説が採用され、資本主義社会では否定されていた「自己労働に基づく所有」が実現されます。私有財産制の基礎にあるのが自己労働に基づく所有でした。資本主義社会では、労働者が働いて生産した財の一部を資本家が働かずに搾取していましたから、この点では、共産主義社会のほうが資本主義社会よりも「自分の働いた分だけ自分のものになる」という原則を尊重しているといえます。

そして共産主義社会の高次段階では、生産力の発展に基づいて、生産手段の社会的所有の効力が大きくなり、労働が所有の根拠でなくなることによって、社会制度の基本原理は私有財産制から共有財産制に移行します。では、共有財産制が基本になると、私たちは自由にものが使えなくなってしまうのでしょうか。この問題を考えましょう。

第一に、そもそも人類は自然資源をコモンズとして維持してきました。土地・海・山・川・森林・大気は個人が私的に利用するのではなくて、公共財として社会全体で維持・管理すべきです。今日の資源・環境問題による制約のもとで、地球物理学者の松井孝典は、自分の身体からあらゆる物に至るまで、所有しているという観念から、地球からその材料を借りているという「レンタルの思想」への転換が必要だと主張しています（『宇宙人としての生き方』206〜208ページ）。この思想を体現するのが共有財産制です。

第二に、現代資本主義社会においても、社会資本、すなわち道路・港湾・水道・公園などは公有、すなわち共有財産です。これらは公有であることによって、より多くの人々がその便益を享受《きょうじゅ》できます。これらをすべて私有財産にしたら（たとえば水道の民営化や公園の私営テーマパーク化など）、一部の資本家は利益を上げることができますが、大多数の人々は不便を強いられるでしょう。

第三に、今日の福祉国家体制のもとでは、社会保障は必要原則によって供給されており、その手段としての課税と再分配は、私有財産制を部分的に否定しています。だからといって、私たちの生活に不可欠な社会保障の仕組みをすべて廃止すべきだという人は、資本主義の徹底を叫ぶリバタリアン

（自由至上主義者）以外に誰もいないでしょう。

第四に、私有財産制では確かに自分のものは自由に使えますが、その代わり保管するコストがかかります。保管しているうちに陳腐《ちんぷ》化するという問題もあります。たとえば、レジャーのときにしか乗らない自家用車を所有していても、車庫が必要で自動車税もかかりますし、10年も経てば古いモデルになってしまいます。

そこで最近では、所有ではなくて他者とシェアする傾向が強まっています。自動車を私的に所有するのではなく、みんなで共有して、使いたいときだけ利用するようにすれば効率的です。資本主義社会ではシェアリングはビジネスの対象です。しかしシェアとは「共有する」ことであり、共有財産制をとる共産主義社会でこそ、その真価を発揮します。共産主義社会とは、社会の様々な財がシェアリングの原理で利用される社会ともいえるでしょう。

第五に、やはり後述するように、私たちが日々の仕事や生活の中で利用する財・サービスの中で、インターネット上のプラットフォームやビッグデータなどの情報技術の割合がますます大きくなっています。これらの情報技術に関わる財・サービスは、個人が私有するのではなく、公共財として市民が共有するほうが理にかなっています。実際、アメリカでは2021年にオハイオ州の司法長官が、「グーグルを公共財にしよう」、すなわち公有化しようという論説を新聞に投稿し、訴訟を起こしています。※4

モノを生産する工業社会の段階では私有財産制に基づく資本主義社会が発展してきましたが、「デジタルコモンズ」という言葉が着目されていることからわかるように、情報化が進んだ段階では、共

有財産制に基づく共産主義社会のほうがより適合的なのです。[※5]

このように見てくると、本章冒頭で述べた二つめの想定、すなわち「私有財産制における私有物は自由に使えるのに対して、共有財産制における共有物は自由に使えない」という想定が時代遅れであることは明らかです。共有財産制は、一部ですでに私たちの生活に根づいていますし、今後その適用領域が拡大する可能性は大きくなっています。共有財産制に基づく共産主義社会は「すぐそこにある」のです。

※4…以下の『ニューヨーク・タイムズ』の記事を参照。〈www.nytimes.com/2021/07/07/opinion/google-utility-antitrust-technology.html〉
※5…詳しくは第11章で述べます。

SOCIALISM IS EVERYWHERE

第5章

共同体・国家・市場

資本主義と社会主義の関係を「市場対国家」として表現する議論がしばしば見られます。資本主義は市場経済が基本なので国家の規模は小さく、社会主義は計画経済なので国家が肥大化する、というわけです。しかし、これは大きな誤解に根ざしています。社会システムは、共同体・国家・市場という三つのサブシステムから構成されています。本章ではこの誤解を解くために、三つのサブシステムと資本主義・社会主義の関係を考えます。

共同体

三つのサブシステムの一つめは共同体です。

共同体を定義すれば、それはメンバー間の人格的な共同性と、経済的な共同組織を特質とする社会です。「人格的な共同性」とは、諸個人が共同関係の中で自らの本質を発揮できることです。第1章で述べたように、潜在能力の自由な外面化とは、社会の中で自己の能力を発揮することでした。それを可能にする社会には、相互の人格を尊重するような共同関係が必要です。これを人格的な共同性と呼びます。

経済的な共同組織とは、生産と消費を通じた自然との物質代謝、すなわち経済活動のために、成員が共同するための組織です。経済活動のための組織には、国家のような権力が成員に命令する形態や、市場のように成員どうしが競争しあう形態があります。共同体はそれらとは異なり、成員が共同して経済活動にたずさわります。

共同体は、国家のような階級や権力を基礎としていませんし、市場のように他者を自らの利益のための手段として扱うことはありません。共同体は、諸個人の協働に基づいて、社交を通じて人間性を開花させるための条件なのです。ですから社会主義において中軸となるのは、国家ではなくて共同体です。

共同体・国家・市場の中で最初に登場し、しかも最も長い期間にわたって存続してきたのは共同体です。人類は、700万年前に誕生した当初から紀元前1万年まで、狩猟採集経済に基づく原始共同体で生活してきました。その後、農耕・牧畜が始まり農業共同体の段階になると、階級と搾取の関係が共同体に入り込み、土地など生産手段の私有化も進みますが、共同体が基本的なサブシステムであることに変わりはありませんでした。しかも後述のように、資本主義社会においても共同体は、この社会を背後から支える機能を果たしてきました。

共同体を『広辞苑』（第7版）で引くと次の通りです。「血縁的・地縁的あるいは感情的なつながりや所有を基盤とする人間の共同生活の様式。共同ゆえの相互扶助と相互規制とがある。特定の目的を達成するために結成される組織と区別される」。これは家族・村落など、血縁・地縁に基づく伝統的共同体を指しています。しかし、共同体を横文字にして「コミュニティ」とすると、都市型コミュニティのように開放的な共同体を意味します。本書ではこのようなコミュニティも共同体の中に含めます。

こうした新しい共同体は、会社、協同組合、NPO（非営利組織）、NGO（非政府組織）を含み、伝統的共同体と区別するためにアソシエーション（association）と呼ばれます。ただし、会社は資本主義に基づくアソシエーションなので、協同組合やNPO・NGOのような民主主義に基づくアソシエーション（民主的アソシエーション）とは区別されます。煩雑《はんざつ》を避けるため、以下で用いる「アソシエーション」は、民主的アソシエーションを意味することにします。本書では、伝統的共同体からアソシエーションまでをひっくるめて共同体として扱います。

資本主義社会の発展に伴って伝統的共同体は次第に縮小していきますが、共同体の要素は社会を支える基盤として存続しています。しかも、新たな共同体であるアソシエーションは伝統的共同体から独立し、それとは別の空間で次第に拡大してきました。このうちアソシエーションが発展した延長線上に構想されるのが、共産主義社会なのです。

国家

二つめのサブシステムである国家について見ていきましょう。

国家について、自由主義と社会主義は対照的な捉え方をします。自由主義は、自由な個人による自己利益の追求を放置すると戦争状態になるので、社会秩序の維持のために国家が必要であると考えました。

これに対して、社会主義からすれば、国家は剰余生産物を独占した支配階級が人民を暴力的に搾取するための機関です。しかし、支配階級が人民をただひたすら搾取するだけでは、その国家は正当性を得られず、長期にわたって持続できないでしょう。そこで国家は、社会の共同業務を担う機関として公共的な性格を兼ね備えます。それによって国家は、社会の中立的な代表であるという外観を得ることで、その支配を正当化することができます。

歴史的には、そもそも社会の共同業務は共同体が担っていたのであり、国家がなくても遂行可能でした。しかし共同体の中に階級が発生して、一部の富者が暴力的な支配機構としての国家を打ち立てると、その支配に正当性をもたせるために、共同体が担っていた治水事業のような社会の共同業務を国家の機能として継承したのです。

封建時代末期に独立生産者の利害を代弁した自由主義にとって、封建的身分秩序を撤廃すれば階級は消滅するはずでした。それゆえ自由主義の国家必要論は、階級の存在を無視します。そこで社会秩序の維持のために国家が必要であるという論理をつくりあげることで、国家の存在を正当化したのです。

しかし、社会主義の考え方では、いつの時代にあっても国家を生み出すのは階級の存在です。独立生産者の商品経済から発展した資本主義経済では、資本家と労働者という階級関係が存在し、資本家は労働者から搾取するシステムを維持するために、支配者として国家権力を利用します。

国家権力を握る支配階級は、国内ではしばしば軍事力を使って反政府勢力を弾圧しますし、対外的には国内の階級対立から国民の目をそらすために、他国への戦争を引き起こします。第二次世界大戦前のナチス・ドイツや日本の軍国主義政権、そして今日でもウラジーミル・プーチンの権威主義体制に至るまで、国家権力による国内での圧政と対外侵略は密接に結びついています。支配階級による国家権力の濫用《らんよう》がなくなれば、世界はもっと平和になるでしょう。

今日の私たちは、国家がなくなると社会の共同業務を担う機関がなくなり、社会機能が維持できないと思い込んでいますが、国家がなくてもアソシエーションがそれを担えばよいのです。[※1]

「資本主義イコール市場、社会主義イコール国家」という図式においては、資本主義社会では国家の役割が小さくて済むという大きな誤解があります。国家は、階級が存在する社会において支配階級の利益を擁護するために存在します。資本主義社会は資本家と労働者からなる階級社会ですから、資本主義は国家を必要とします。

※1…現在の内戦状態にあるシリアのような「破綻国家」の原因を、国家権力の弱体化に求める議論があります。この議論は「破綻」の根本原因が国家権力それ自体にあることを看過している点、国家がなければ社会的共同業務が遂行できないと想定する点、さらに独裁政権を正当化しかねない点で、社会主義派とは見解を異にします。

資本主義国家においては、資本家の利害を代表する国家と、国民との間に対立が存在する場合、資本家の傘下《さんか》にある政治家が、「公共の利益」を掲げてその政策を国民に押しつけます。国家は、支配階級が対外的にも対内的にも自らの利益を追求するための手段です。たとえば、戦争によって軍事産業の生産する兵器が売れて資本家が儲かるのであれば、資本家は戦争を遂行するために、国家にすべての権限を集中する国家総動員法のような法律を政治家や役人に制定させます。したがって、資本主義において国家が枢要《すうよう》な地位を占めることに何の不思議もありません。

市場

そして、三つめのサブシステムが市場です。

先に述べた通り、共同体が社会の基礎をなすべきだと考える社会主義は、市場の役割を否定的に捉えます。

第一に、現代では市場経済は必然的に資本主義経済に転化します。第4章で述べたように、人類が文明を築いた時期からすでに市場は存在しました。ですから、市場経済と資本主義経済は異なる概念です。しかし、市場経済が一般化した社会では、諸個人の資産がたとえ平等に配分されたとしても、一定の時間が経つと富者と貧者への分裂が起こり、階級が発生します。生産力が発達した今日では、市場経済を放任にすれば、それは必然的に資本主義経済になります。

第二は、市場における自由と平等についてです。単純商品生産に基づく市場では、諸個人は自由で平等な関係にあり、自己労働に基づく所有という観念が成立していました。

資本主義市場経済もこの観念を継承しますが、実態は正反対です。みなさんが学校を卒業して企業に就職しようとするとき、確かに就職先を選ぶ自由はあるかもしれませんが、就職しないで生きていく選択肢は(自営業などを除き)乏《とぼ》しいでしょう。また、就職すれば、会社の命令に絶対的に従うことが求められます。そこに「自由」も「平等」もないことは想像できると思います。

消費者としての一市民と、生産者としての大企業の売買関係も、実際には不平等です。商品について有する情報は、たとえばパソコンや薬品を思い浮かべればわかるように、大企業のほうが比べものにならないほど多量にもっています。これを情報の非対称性といいます。ミクロ経済学の教科書は、市場経済のもとでは諸個人と企業が対等な関係にあるのが基本で、情報の非対称性は例外であるかのように描いていますが、むしろ今日の資本主義経済では情報の非対称性こそが常態です。

資本家間の関係でさえ、形式的には平等な条件のもとでの自由競争が謳《うた》われていますが、現実には少数の独占企業が市場を支配しています。現代の資本主義経済の実態は、市場の価格メカニズムを前提とした自由競争ではなく、少数の独占大企業による、中小企業に対する永続的支配です。

第三に、市場経済では商品の売買が貨幣によって媒介されます。貨幣は便利な流通手段ですが、誰もが貨幣を貯蓄しようとする結果、モノが売れなくなり、商品の供給過剰が起こります。利潤追求を原理とする資本主義経済では、資本蓄積が急速に進み、消費者に必要とされているかどうかにかかわりなく商品が過剰に生産されるため、供給が需要を上回り、恐慌や不況が周期的に発生します。そのたびに工場は閉鎖され、企業は倒産し、多くの失業者が発生します。その過程で資本の集積・集中が進行する結果、少数の独占企業がますます巨大化し、階級格差もいっそう甚《はなは》だしくなります。

第四に、市場経済ではあらゆるものが商品化されます。市場経済では、売買の当事者が合意すれば、いかなるものでも取引できます。アルコール、麻薬、ギャンブル、ポルノのように法的な規制が加えられる場合がありますが、市場原理の中にはこのような規制を正当化する根拠はありません。

第五に、市場経済では企業も個人も競争を強制されて孤立します。大人たちは会社人間として業績をめぐる競争を、子どもたちはテストの成績という一元的基準をめぐる受験競争を強制されます。諸個人の人生の目的は、社交を通じて人間性を開花させることではなく、より多くのお金を稼いで、大企業が宣伝する商品を消費することになります。そうなってしまうと、たまに仕事や勉強から解放された自由時間があっても、何をしていいかわからず、潜在能力の自由な現実化と外面化の機会を失ってしまいます。こうして市場経済は人間性の開花ではなく、人間性の衰退をもたらします。

共同体の原理

カール・ポランニーは、共同体・市場・国家という三つのサブシステムに対応する経済原理はそれぞれ互酬《ごしゅう》・交換・再分配であるという説を提示しました。※2

後ろから説明すると、再分配とは、労働者・資本家・地主がそれぞれ賃金・利潤・地代として所得を分配された後、国家が各生産者に課税した収入でもって、必要原則に応じて再び分配することです。交換とは、市場において各経済主体が貨幣を通じて財・サービスを売買することです。互酬とは、共同体において各メンバーが、貨幣を媒介させずに、相互に財・サービスをやりとりすることです。

文化人類学者の多くはこの三分法に依拠しているようですが、私はこの見解に反対です。確かに互酬は貨幣を媒介にせず、しかも贈与と返礼の時間が乖離しています。互酬における贈与への見返りは財・サービスでなくとも、感謝の気持ちのような目に見えない形態をとることもあります。しかし互酬は、贈与の際に何らかの見返りを期待している点で、市場交換と動機は同じです。両者とも私的所有を前提としたギブ・アンド・テイクの一変種です。互酬は、共同体の中に市場原理が浸透して交換へと至る過程の形態なのです。

互酬におけるギブ・アンド・テイクの関係は相互扶助《ふじょ》の関係であり、共同体的な人間関係だとする議論がしばしば見られます。しかしギブ・アンド・テイクにおいては、相手の人間は自分にとって行為の目的ではなく、単なる道具的存在にすぎません。相手を単に手段としか見なさないような社会は、真の共同体とはいえません。互酬は確かに市場交換よりは共同体に親和的ですが、共同体の原理にはなりえません。

共同体の分配原理は、分かちあい＝シェアリングです。[※3] 狩猟採集民であるイヌイットの男性Aが人類学者Bに獲物をゆずったときに、Bがお礼をいうとAが不機嫌になったという話を、グレーバーは紹介しています。[※4] Aは何らかの見返りを求めるためにBに獲物をゆずったわけではありません。

※2…カール・ポランニー『人間の経済』を参照。
※3…小田亮「『交換の四角形』とその混成態」を参照。
※4…デヴィッド・グレーバー『負債論』を参照。

Bが「ありがとう」ということは、BがAに対して負い目、すなわち一種の負債をもったことになります。そうなると、そこからは返礼の義務が生じ、互酬そして交換へと展開していきます。共同体で生活する人々は、そのような市場経済に発展する負債の関係をつくることを、共同体関係を維持するために拒否してきたのです。

シェアリングは、そもそも私的所有を前提にしていません。たとえば共同体のメンバーが共同で所有する畑でとれた作物をメンバー全員に分配するとき、その作物はみんなの共有物ですから、そもそも持ち主が変わる過程は存在しません。とれた作物を配る行為は、ただそれを本来の持ち主に返しているだけです。

何事も損得勘定で行動する現代社会の私たちにとって、見返りを求めないイヌイットの行動パターンは縁遠いように思われるかもしれません。しかし、たとえば川沿いの道を歩いているときに、溺れている幼児を見かけたら、私たちは自分が濡れるかもしれないというような損得勘定で行動するでしょうか。ボランティアのサッカーコーチをしているあなたは、教え子たちから何かお返しをしてほしくてサッカーを教えているでしょうか。現代の私たちも、見返りを求めない、ギブ・アンド・テイクではない行為を日常的にしています。

共同体の原理としてのシェアリングは、社会主義の原理でもあります。それは決して私たちにとって異質なものではなく、日常生活において普通に見られる原理なのです。

共同体・国家・市場の相互関係

次に、共同体・国家・市場どうしの関係を考えましょう。重要なことは、この三つのサブシステムが別々に存立しているのではなく、互いに関連しあっているということです。

私たちは、社会の共同業務を担う機関として国家は必要不可欠であると思いがちですが、国家のない共同体社会は存立可能です。伝統的な共同体には灌漑《かんがい》用水や共有地の管理などの共同業務がありますが、この業務は国家がなくても遂行されてきました。今も一部の地域で続く入会《いりあい》地の管理のように、そうした共同業務は共同体の成員が自主的に担っています。人類は誕生以来700万年間にわたって、国家のない共同体社会のもとで生活してきたのです。

しかし、農耕と牧畜の時代になって、共同体の中で階級関係が形成され、支配者が権力を集中すると、それは国家になります。この国家は共同体が担っていた共同業務を、自らの正当性確保のために吸収します。こうして共同体は国家へと変質します。国家は、もはや共同体とは呼べません。国家の中に共同体が存在する場合はありますが、国家そのものは共同体ではありません。

共同体と市場についても、両者は排反関係にあり、重複することはありません。しかし歴史的に見ると、共同体は市場を取り込んでいきます。市場における商品交換は当初、共同体と共同体の間で開始されました。それが共同体の内部にも浸透することで、共同体の一部に市場が形成されました。共同体内部における互酬は、市場経済の論理が共同体内部に波及したものであって、共同体そのものの原理ではありません。

「資本主義イコール市場、社会主義イコール国家」論者は、国家の権限が小さい国々では、市場経済の定着度が大きいと主張します。この議論が間違っていることは、現実を見れば明らかです。

イギリスで1979年から90年にかけて政権を担った保守党のマーガレット・サッチャー首相は、「小さな政府」路線を表明し、重要産業の民営化を推進しました。しかし、この時期には格差拡大によって増大した失業者対策費や、国民の中の反対勢力を抑え込むための治安維持費の増大によって、むしろ政府支出は増大しました。

アンドルー・ギャンブルが『自由経済と強い国家』で描写したように、新自由主義路線を浸透させるために、サッチャー政権はむしろ国家の経済的介入を強めました。ですから、強い国家と新自由主義は実際には両立する、というより、相互補完的な関係にあるのです。それは資本主義が、市場のみならず国家をサブシステムとして必要とすることに原因があります。

市場経済の中から資本主義経済が発展し、その中での自由競争が独占に転化します。独占企業は国家との癒着《ゆちゃく》を深め、やがては国家機構を自らの利益のために利用するようになります。今日、日本では自民党政権が、東アジア情勢の緊迫化を理由に、防衛費を大幅に増大させています。軍需産業が自民党の政治資金団体に多額の献金をしていることからわかるように、国家は独占企業の道具になっているのです。

以上をまとめると、「資本主義イコール市場、社会主義イコール国家」ではなくて、「資本主義イコール市場と国家、社会主義イコール共同体」こそが、正しい捉え方です。

社会主義と共同体

資本主義における三つのサブシステムの関係を見てきました。

三つのサブシステムの中で、社会主義が基本とするのは共同体です。共同体は原始共同体に始まって、農業共同体の時代を通じて形成された伝統的共同体に至るまで、連綿と継承されてきました。しかし資本主義を経た今日、共産主義社会が依拠するのは伝統的共同体ではなく、資本主義社会における生産・消費の社会化の中から生じたアソシエーションです。

共同体の一つの特徴は、人間が共同関係の中で自己実現できることです。伝統的共同体は、人々が交流しあい、人生について語りあう場を提供してきました。資本主義的近代化のもとで伝統的共同体が衰退すると、人々が交流する空間も縮小していきました。しかし、いかなる時代の人間にも、人々が交流する機会は必要です。特に人々が孤立して様々な病理的現象が起きている現代においては、こうした社交の機会は大切です。社会主義は、諸個人が社交しコミュニケートしうるアソシエーションの拡大を通じて、共同の中での自己実現の場を提供します。

共同体のもう一つの特徴は、成員が共同で経済活動にたずさわることでした。それを生産手段の社会的所有によって実現しようとするのが社会主義です。アソシエーションの拡大する共産主義社会は、成員間の固定的な分業を廃止します。生産の目的は、利潤追求のためではなくて、自分たちの消費生活のためです。地域間においては、地理的事情による生産物の差異はありますから、それに応じた分業は存在しますが、それでも原則は自給自足と地産地消によって、各地域が持続的な再生産ができるようになることをめざします。

歴史的に見ると共同体は、社会保障・教育の単位として大きな役割を果たしてきました。子ども・老人・病人へのケアは共同体が担ってきました。ただし伝統的共同体には、身分・因習《いんしゅう》・束縛など前近代的な限界がありました。

資本主義的近代化によって、伝統的共同体が抱える負の側面が縮小したことは一つの進歩であり、伝統的共同体が担ってきた機能は、私営ないし公営の病院・福祉施設や学校が代替するようになりました。しかし、企業の利益至上主義と、国家が主導する行政機構の官僚主義が災いして、様々な機能障害が起きています。

これに対しても、社会主義はアソシエーションの拡大を通じて、市民が能力に応じて社会貢献し、それに応じて自己実現できるような環境をつくっていきます。アソシエーションは、メンバーによる民主的運営を通じて、伝統的共同体につきまとっていた前近代性を払拭するとともに、企業の利益至上主義と国家主導の官僚主義も拒否します。

共産主義社会は、階級関係のないアソシエーションを拡大します。それによって、ジョン・レノンの「イマジン」の歌詞にあるように、国家のない社会をつくります。国家がなくても様々な社会の共同業務は遂行可能です。かつて国家のない原始共同体が共同業務をこなしていたように、社会主義のもとでも市民の民主的手続きによって選ばれた事務機関が、それらを担うことになります。アソシエーションにおける民主主義にとっては、多数決のように結果を得ることが目的ではなく、市民が議論を通じて成長することが目的です。

社会主義と国家

ソ連型社会体制のことを「国家社会主義」と呼ぶ論者がいます。[※5] しかしこれは論理的には無理があります。社会主義の理論によれば、国家は階級関係によって生まれます。社会主義は階級の廃絶を追求しますから、国家の廃絶も目標となります。その社会主義において国家が強大な権力を保持するというのは語義矛盾です。ソ連型社会体制は国家に権限を集中する権威主義でしたから、この体制を社会主義と呼ぶことはできません。

社会主義は国家が肥大化した体制であると主張する論者は、ソ連や中国を社会主義として表象しています。確かにこれらの国々では、国家が強大な権力を独占してきました。しかしソ連や中国は、人民が生産手段を社会的に所有していなかった点で、社会主義体制とはいえませんでした。

マルクスによれば、国家は階級社会において支配者が人民を支配する際の暴力機構です。原始共産主義社会は無階級社会だったので、国家も存在しませんでした。階級社会になって初めて国家が登場したのです。社会主義はもちろん階級の廃絶をめざす運動ですから、その理想が体現された社会で国家が肥大化することはありえません。

「マルクスはプロレタリアート独裁を提唱していたではないか」という意見もあるでしょう。ソ連

※5…たとえば和田春樹『歴史としての社会主義』を参照。資本主義国ドイツにおいて国家に上から社会保障など社会主義的な制度を整備させようとした、フェルディナント・ラッサールの運動が「国家社会主義」と呼ばれることがあります。これも同様に矛盾した表現です。

や中国も、この「プロ独」を自らの一党独裁体制の論拠にしてきました。しかしマルクスは、プロ独を全く違う意味で捉えていました。彼は資本主義体制を「ブルジョア独裁」と呼んでいます。それは少数者であるブルジョア（資本家）階級が国家権力を独占している政治状況を表していました。それに対して多数者である労働者階級が政権につけば、逆にプロレタリア階級の意向を反映した政権を確立することができる、それを「プロレタリアートの革命的独裁」と呼んだのです（『マルクス＝エンゲルス全集』第19巻、29ページ）。

確かにマルクスは、労働者階級が国家機構を掌握すべきだと考えていました。資本主義社会を廃絶する過程で労働者・人民が国家権力を掌握するべきか否かという問題について、マルクス主義者と（狭い意味での）アナーキストが革命路線をめぐって対立しました。

マルクスたちとは異なる系譜の社会主義に、狭義《きょうぎ》のアナーキズム（無政府主義）があります。日常会話では「あいつはアナーキーなやつだ」というと、言動が支離滅裂な人のことを指しますが、アナーキズムは支離滅裂な思想ではありません。「アナーキー」（anarchy）とは「無い」（a）と「政府または権力」（arch）の合成語で、権力がなくとも秩序ある社会は可能であるという考え方です。

トマス・ホッブズやジョン・ロックのような自由主義者は、自由な社会をそのまま放置しておくと、相互に利害の対立する個人の間で戦争が起き、暴力をもつ強者がそうでない弱者を支配する悲惨な状態になってしまう、それゆえ人民は政府に権力を集中することによって初めて、秩序ある社会を維持できると考えました。

それに対して、国家権力などなくとも、人々は相互に信頼し協力しあうことによって秩序ある社会、すなわち共産主義社会を形成しうるというのが、広い意味でのアナーキストの思想です。マルクス主義もこの点では同意見です。

マルクス主義者を含む広義のアナーキストは、共産主義社会では国家は廃絶されるべきだと考えます。問題はどのように廃絶するかです。狭義のアナーキストは、資本家階級の国家を打倒すると同時に、国家機構そのものを廃絶すべきだと主張しました。それに対してマルクス主義者は、現存の国家機構がいかなる社会にも必要な行政機能を担っている以上、それは突然に廃止すべきではなく、労働者階級の国家権力のもとで徐々に行政機能を個々の共同体に移管し、国家機能を縮小していくべきだと主張しました。

現代の先進資本主義国では、議会制民主主義が基本的に確立していて、保守政党から革新政党に至るまで、選挙によって自らの政権を樹立しようとします。今日の社会主義政党が選挙を通じて平和的に国家権力を掌握しようとするのは、狭義のアナーキストではなくてマルクス主義の路線に他なりません。

ソ連や中国のように、権力を握った政治勢力がその権力を永続的に独占した経験からすると、権力は必ず腐敗すると考える狭義のアナーキストの指摘にはうなずける部分もあります。しかし、現存する権力をただ粉砕するだけでは、新たな権力者が登場するだけです。権力を分散させる過程を自らつくりださねばなりません。

マルクス主義と狭義のアナーキストのいずれの路線が正しいかについては、本書の主題からそれますので、ここではこれ以上論じません。重要なことは、マルクス派も社会秩序の維持にとって国家は不要であると考えており、広い意味ではマルクス主義もアナーキズムに含まれることです。

社会主義者の使命は、国家権力を掌握したら、次にはそれを分散し、縮小することです。社会主義への方向性が強いスウェーデンでは、１９８４年から91年にかけて社会民主労働党政権のもとで、日本の市町村に相当するコミューンに大きな行政的権限を与える「フリー・コミューン」の路線が推進されました。[※6] これは国家自体が国家の機能を分散させる社会主義的な政策です。政権を掌握したうえで、自らそれを解体していくという路線は実行可能です。

社会主義と市場

最後に、社会主義と市場の関係を考えましょう。市場を原理にして自由放任にすれば、その社会はやがて資本主義になります。ということは、市場原理と社会主義の組み合わせは「資本主義的社会主義」という矛盾した概念になってしまいます。また、市場は諸個人の分業を固定化させて彼らを分断し、さらには相互の競争を強制することにより、社交を通じた人間性の開花を妨げます。ですから、原理としての市場と社会主義の組み合わせも存在しません。そもそも社会主義は、市場を廃絶する思想として誕生したのですから、市場を原理とする社会主義というのは語義矛盾であって成り立たないのです。[※7]

ただし、市場を無制限に拡大するのでなく、共産主義社会の理念を実現するために市場の機能を補完的に活用するのであれば、一時的には社会主義における市場の利用は可能です。これがいわゆる市場社会主義です。

体制としての社会主義の基本的指標は、生産手段の公有です。市場社会主義においても主要な生産手段である企業は、労働者・市民によって公的に所有されます。このように企業が公的に所有されていても、それが生産物を市場において商品とし、それによって利潤を上げることはありえます。ただし利潤といっても、この体制では資本家はいませんから、労働者・市民がその使い道に対する決定権をもっています。

市場経済を自由放任にしておくと、やがて諸個人の間に資産の格差が生じ、有産者は他人を労働者として雇う資本家になります。特に生産力の発達した今日では、市場経済のもとでいったん資産保有を平等にしても、すぐに資本主義経済が出現します。ですから市場社会主義は、永久には存続しません。それは市場を廃絶し、計画経済に基づく共産主義社会へ移行するための、過渡的な経済システムなのです。

※6…福本歌子「フリーコミューンの実験」を参照。
※7…グレーバーの「基盤的コミュニズム」論によると、資本主義市場経済の基礎にも社会主義の共同体原理が作用しています。本章との関係でいえば、市場や国家の基礎には共同体があるのですが、市場と国家の原理は共同体の原理を否定します。よってそもそも市場も国家も矛盾した不安定なサブシステムなのです。

SOCIALISM IS EVERYWHERE

第6章

人類史から見た社会主義

社会的動物としての人間

　社会主義の究極目標は人間の自己実現です。それは、諸個人が自分の潜在能力を現実に発揮するだけでなく、社会的に発揮する、すなわち外面化することです。

　したがって社会主義は、人間にとって共同体が不可欠であると考えます。アリストテレスは『政治学』の中で、人間は「ゾーン・ポリティコーン」であると述べています（35ページ）。ゾーンは「動物」、ポリティコーンは「ポリス的」という意味です。ポリスは「都市国家」と翻訳されますが、本質的には共同体のことです。ゾーン・ポリティコーンを「社会的動物」と訳す場合もあります。しかし社会というと、資本主義のように諸個人が相互に競争する社会も含まれます。アリストテレスが強調しているのは、このような競争社会ではなくて、人間が共同しあう共同体社会の中でこそ人間は自己実現できるということです。

マルクスは『ドイツ・イデオロギー』で次のように述べています。「人間性は一個の個人に内在する抽象物ではおよそない。その現実性においてはそれは社会的諸関係の総体《アンサンブル》である」(『マルクス＝エンゲルス全集』第3巻、4ページ)。

人間の本質を、社会から孤立させて捉えることはできません。人間は常にその時々の周りの人々との間柄《あいだがら》(関係性)の中で生きており、それらの間柄をまとめたものが一人の個人です。ちょうど神経細胞が、細胞の単位としては独立していながら、樹状突起を通じて他の細胞と結びついて初めて神経といえるようなものです。人間は社会とのつながりの中で初めて人間といえるのです。

本章では、社会的動物としての人間を、生物進化と人類史の観点から考察します。

競争心は人間の本性か?

資本主義と社会主義を、競争と協力という観点から比較すると、資本主義は競争、社会主義は協力を原理とします。資本主義の支持者は、人間は生まれながらにして他者に打ち勝ちたいという競争心があると考えます。彼らは進化論をその科学的根拠としています。

19世紀中葉にチャールズ・ダーウィンは『種の起源』において、環境の変化に適応することのできる生物が自然淘汰《とうた》を通じて進化したという進化論を提示しました。進化論というと、弱肉強食というイメージをもっている人が多いでしょう。ダーウィンの自然選択説はそうではなく、環境に最も適した形質をもつ個体が生存する確率が高くなるという学説です。

誤解の原因をつくったのは、ダーウィンの進化論を社会科学に応用して社会進化論を唱えたハーバート・スペンサーでした。進化論に影響を受けたスペンサーは、それを人間社会に適用し、弱肉強食による競争を通じて社会は発展するという社会ダーウィニズムを主張しました。

18世紀にアダム・スミスは、自己利益を追求する諸個人による交換こそが、「見えざる手」によって、社会にとって最も効率的な状態をもたらすという、古典的自由主義を唱えました。※1 スペンサーの社会進化論は、スミスの自由主義における競争の側面を強調しました。ですから通常は進化論というと、利己的な個人どうしの生存競争を思い浮かべるわけです。

では本当に、競争心は人間の本性なのでしょうか。「競争心は人間の本性であるから、競争を原理とする資本主義は人間の本性に合致した体制であり、協力を原理とする社会主義は実現不可能だ」ということになるのでしょうか。本章ではこの問題を考えます。

互恵《ごけい》的利他主義と間接互恵性

資本主義を擁護する人々は、生物は生存競争を通じて進化してきたのであり、人間も生物の一種であるかぎり、相互の競争は不可避なのだと主張します。そこで、まず生物の次元で考えてみましょう。

※1…スミスを市場原理主義の元祖と見なすことができるかどうかについては、議論が分かれています。

生物が利他的ないし協力的な行動を一切とらないかというと、そんなことはありません。親子や血縁関係にある個体を防衛する現象は昆虫にも見られますし、群れをなして見張りなどの役割を分担し、狩りにおいて協力する動物がいることも知られています。しかも人間は、昆虫や動物にも見られる利他性や協力という社会性を発展させることによって、猿人から今日のホモ・サピエンスに至るまで進化してきました。つまり生物の次元でさえ、競争のみならず協力も見られるうえに、人間はいっそう協力の傾向を強めてきたのです。

ここで問題となるのは、進化してきた主体は個体なのか、群れのような集団なのかです。たとえば産卵する女王アリのために献身的に尽くす働きアリのように、個体が自己の不利益を顧《かえり》みずに、集団の存続のために利他的にふるまう現象は、個体ではなく集団が進化の単位であることを示唆《しさ》しています。こうした協力関係を築くことができた集団が、より生存の可能性を高めて他の集団との競争に勝ち残ったという説明では、集団が主語です。「群《ぐん》選択説」と呼ばれるこの考え方は、「群れ」の定義や、群れとしての存続の目的について説明が十分になされていないとして、生物学者の間では不評でした。

個体を主体とする観点からすれば、自己にとって不利益になるにもかかわらず、他者に対して純粋に利他主義的な態度をとることは、生存競争において自己の生存を脅《おびや》かすことになります。ですから、自然選択が作用するのは個体であると考える生物学者は、生物が利他主義を進化の過程で発展させてきたことを、そのままで認めるわけにはいかないのです。

１９６０年代以降、一見すると利他的に見える行動も、実は生物個体の利己的な生存戦略から説明できるという学説が有力になってきました。この考えを人間に当てはめれば、人間の利他的行動も、実は自己利益を追求した結果であるということになります。

二つの個体間において、一方の個体が将来の自分に対する見返りを期待して、相手の個体の利益になるような行動をとることを、「互恵的利他主義」といいます。互恵的利他主義と対比されるのは純粋な利他主義で、相手からの見返りが一切ない場合に利他的行動をとることです。

互恵的利他主義の観点からすれば、くり返しの付き合いがある生物どうしの他者に対する利他的行動は、最終的には自己利益の追求に基づきます。人間に見られる知人との間のお中元・お歳暮のように、相手に贈り物をするという利他的行為は、実は将来に相手から何らかの返礼がもらえるという自己利益を期待するからである、と説明されます。

しかし人間は、しばしば見ず知らずの人に対しても、自己の不利益を顧みずに利他的な行動をとることがあります。これは純粋な利他主義のように見えますが、これも個体の利己主義から説明するのが、間接互恵性の理論です。この説によれば、二者間においては利他的行動が見返りをもたらさないとしても、回りまわって別の他者から見返りを得ることができると期待されるので、人々は利他的行動をとるというわけです。間接互恵性を支持する論者がその事例として挙げるのが、「情けは人のためならず」という古くから伝わる諺《ことわざ》です。

20世紀半ばから台頭してきたゲーム理論は、自己利益を追求する複数の主体の行動が相互に連関する状況において、どのようにして最適な行動をとるかを研究する分野です。生物学者はこのゲーム理論を取り入れて、互恵的利他主義や間接互恵性の概念を解明してきました。

協力する種としての人間

ここまでの説明では、人間の利他的行動も実は利己主義に基づくのであり、競争を原理とする自由主義と、協力を原理とする社会主義の関係についても、社会主義的に見える行動は自由主義の枠内において可能であって、自由主義を超越することはできないという含意《がんい》が導出されることになります。

しかし人間の祖先は、メンバーの入れ替わりがない小集団を超えた大規模な社会を形成し、その中で生活してきました。人間は二者間における相手からの見返りはいうまでもなく、第三者からの将来的な見返りが期待できない場合でも、利他的ないし協力的行動をとることがあり、そうした規範が私たち人間の文化や制度に組み込まれています。これは他の動物とは異なる人間特有の現象です。利他的行動を自己利益に還元する互恵的利他主義や間接互恵性の理論だけでは、この現象を説明できません。

近年、ラディカル派経済学者として知られるサミュエル・ボウルズとハーバート・ギンタスは、人間が他の動物とは異なる「協力する種」であり、純粋に他者に利益を与えようとする「社会的選好」を、遺伝と文化の両面を通じて獲得してきたと主張しています。彼らによれば、この社会的選好には、互恵的利他主義や間接互恵性のような自己利益追求による説明が適用できません。

では、人間において、コストをかけてまで他者に利益を与えようとする協力的な形質は、どのように獲得されてきたのでしょうか。進化生物学では、ある形質が増大するかどうかは、その形質から得られる利益がコストを上回るか否かに依存します。協力的行動はこの原理に反するにもかかわらず、人間が協力する形質を増大させたのはなぜでしょうか。

ボウルズとギンタスは「複数レベル淘汰」という概念を使って説明します。ある社会に複数の集団が存在するとします。どの集団についてもその中で利他的な遺伝子をもつ個体がランダムに存在する状況であれば、どの個体にとっても利他性から得られる利益よりもコストのほうが上回ってしまい、協力的行動は確かに持続しないでしょう。

しかし、何らかのきっかけにより、利他的な個体どうしが集団を形成することができれば、その集団は協力によって他の集団よりも存続する可能性が大きくなり、集団として得られる利益は増加します。[※2] そうすれば、その集団に属する個体の平均的利益も増大します。

人間は、協力が利益をもたらす状況をいったん経験すると、それを記憶し再現する能力をもっているので、協力を促進するような制度を積極的に創出します。たとえば先述したイヌイットにおける気前よさは、彼らの行動規範となります。それによって、この制度が利他的な個体が集まりやすい状況を促進します。こうして、個体と集団の両方のレベルにおける作用を通じて、利他性とそのための制度が共進化するわけです。

さらに人間は、社会的学習を通じて、利他的な規範を内面化する能力を進化させます。こうした能

※2…集団間の戦争において相手集団に対する敵対心が、自らの集団成員に対する「偏狭な利他主義（parochial altruism）」を促進するというボウルズとギンタスの主張については、私は同意していません。

力をもった人間が、利他的な規範を広める文化をつくりだすと、規範を内面化する能力がいっそう進化します。イヌイットの例では、気前よさという規範が彼らの意識に内面化されて欲求になります。人間の社会性には、遺伝子と文化の共進化も作用しています。

人間がサルと共通の祖先からホモ・サピエンスへと進化する過程で大きな役割を果たしたのは、利他的行動や協力です。自己利益をひたすら追求する競争ではなくて、相互に協力しあう関係の中で、人間は他者の利益を尊重する性向を習得してきたのです。

ポランニーが共同体の原理とした互酬は、贈与の時点で相手からの返礼を期待する点で、利己的個人を想定しています。互恵的利他主義や間接的互恵性の理論は、一見すると利他的な行動さえも実は利己的動機に基づいていることを主張しました。これらの理論によれば、人間の利他的ないし協力的な行動は、社会主義ではなくて、利己的個人を主体とする自由主義によって説明されることになります。

これに対してボウルズとギンタスは、第三者からの見返りが一切期待されない場合でも、人間は利他的ないし協力的な行動をとる特性をもっており、人間は社会的選好を有する協力する種であると結論づけたのです。

人間が協力する種であることは、人間にとって協力が本質をなすことを意味しています。協力はまさに社会主義的な特質です。そもそもヒトという種は、この社会主義的な特質を獲得することによって、初めて人類になりえたのです。社会主義は、人類誕生の当初から「そこにあった」のです。

原始共産主義

文明が誕生して以降、この地球上に体制としての社会主義はまだ存在しません。しかし人類史から見ると、一種の社会主義が体制として存在しました。それは原始共産主義です。

人類が誕生した700万年前から紀元前1万年までは、狩猟採集経済が続きました。生産力はきわめて低く、生きていくための必要生産物がぎりぎり得られる状態でした。収獲量が少なく、肉や魚は保存しにくかったので、生産物を保存することが困難でした。人々は必要生産物を得るのがやっとで、剰余生産物を持続的に生産することができず、誰もが生存するのに精一杯でした。それゆえホモ・サピエンス以前の人類、すなわち猿人・原人・旧人は、何度にもわたって出現と絶滅をくり返してきました。

原始共産主義の社会で諸個人は、共同体の成員として相互に協力することによって、社会を維持することができました。それは富める者と貧しい者の格差がない平等な社会でした。剰余生産物を独占した支配階級はまだ出現していません。日本では、原始共同体は縄文時代までに当たります。この時代のお墓はみな小規模のものばかりでした。これはいまだ階級が存在しなかったことを意味します。階級が存在しませんから、国家ももちろんありませんでした。

この時代には人々は、共同体をつくって土地や道具などの生産手段を共同で所有し、生産物は共同体の成員に必要に応じて分配しました。つまり共産主義が体制として成立していました。人類史700万年のほとんどが、この原始共同体に基づく共産主義の時代に当たります。

人類の歴史を一年間に例えると、半日が1万年であり、1月1日から12月31日の正午までが原始共産主義の時代です。31日の午後になって、国家が登場して階級社会の時代に入ります。資本主義は大晦日の午後11時半ごろに始まったことになります。このように見てみると、人類の歴史のほとんどが共産主義社会だったわけです。ですから共産主義は私たちにとって、ずっと「ここにある」ものだったのです。

農業共同体

紀元前1万年ごろに農業と牧畜が始まると、農業共同体の時代に入ります。人々は定住生活を始め、都市をつくりはじめます。穀物は保存ができるので、それを独占する階級が登場します。彼らが自らの支配を永続させるために創出した機構が国家です。日本でも弥生時代の後半になると、米という穀物を剰余生産物として貯蔵し、それを独占した支配階級が現れます。この時代には前方後円墳のような大規模なお墓が出現します。彼らが登場することによって邪馬台国のようなクニが誕生します。※3

農業共同体の時代は、搾取と階級の形態の違いによって貢納《こうのう》制・奴隷制・農奴制に分類され、資本主義の登場まで、およそ1万1500年間続きました。いずれの形態にしても、生産手段を独占する支配者が強制力をもって人民に労働させ、その生産物のうち生存に必要な必要生産物のみを彼らに与え、剰余生産物を搾取していました。支配者が国家を組織するようになると、人民が納める生産物は租税という性格を帯びます。日本の江戸時代の年貢は、江戸幕府という国家が強制的に徴収する租税でした。ですから農業共同体の社会では、共同体・国家・市場のうち、国家が経済に占める割合が増大してきました。

また農業共同体の時期には、市場経済も徐々にその領域を増やします。当初は共同体と共同体の間で、生産物が物々交換されました。日本でも、すでに縄文時代には共同体間で黒曜石が交換されていました。さらに生産物が初めから交換を目的として生産されると、それは「商品」になります。古代には、漢とローマ帝国の間のシルクロードを通って商品交換がおこなわれていました。このように市場経済は古代からすでに存在したのです。

そして、たとえば日本では「四日市」のように、商品や貨幣が定期的に取引される「市《いち》」が各地に形成され、それが農村共同体の内部まで浸透することで、市場の領域が徐々に広がっていきました。封建時代の最後である江戸時代には、次第に農村でも換金目的の農作物が生産されるようになり、商品経済がいっそう拡大していきます。それが封建体制を揺るがす要因となりました。

このように農業共同体の時代には、国家と市場が経済に占める比重を次第に増やしていきました。とはいえ、経済全体の土台をなしていたのは共同体でした。江戸時代の農民は、剰余生産物を年貢として武士階級に納めねばなりませんでした。この点では農村経済に国家が介入していました。しかし

※3…古代から中世にかけては支配階級が奴隷や農奴から剰余生産物を暴力的に搾取し、国家を支配していました。近代になって資本主義経済になると、支配者たる資本家階級は市場経済における交換を通じて労働者階級から剰余価値を搾取し、国家を支配します。

農民が、その見返りに教育や医療・福祉などの便益を受けていたわけではありません。この点では国家の経済社会への介入は限定的でした。

江戸時代前期から後期になるほど、農民が工具など必要な商品を購入するために、換金目的で農作物を生産するようになりました。農村に商品経済の波が押し寄せてきたのです。しかし江戸時代の後期になっても、やはり農村経済の基礎は共同体と自給自足にありました。基本的な生活物資は自分の属する共同体の内部で生産され、分配されました。経済の土台を形づくっていたのは共同体であり、社会全体としては共同体経済が存続していました。

市場経済が全社会に広がり、体制の土台となったのは、イギリスでは産業革命が起きて資本主義が確立する18世紀後半です。日本の場合は19世紀後半に始まる明治時代以降です。ですから、農業共同体の時代においてもやはり共同体経済が社会の土台をなしていたのです。人類が誕生した約700万年前から、わずか250～150年前まで、共同体経済が「そこにあった」のです。

コモンズ

人類の誕生から700万年間続いた原始共同体においては、基本的に生産手段は共有であり、労働生産物についても共同で所有されていました。その後、紀元前1万年前後に原始共同体が解体し、農業共同体の時代に入ると、生産手段の私有化が徐々に進み、生産は次第に個人でおこなわれるようになっていきました。

農業共同体では、土地のような生産手段は私有化されます。しかし、たとえば田植えや稲刈りのように多人数の労働力を必要とする場合には、村人が相互に労働力を提供して協力しました。灌漑用水や入会地のような共有地は、共同で所有・管理されていました。

独立自営農民が登場して以降も、私的所有にはなじまない生産手段、すなわち森林、湖、海、牧草地などは、共同で所有・管理されました。これを「コモンズ（共有地）」と呼びます。資本主義の現代にあっても、地域住民の手で維持されているコモンズはあります。

社会主義経済が不可能であることの論拠として、しばしば「共有地の悲劇」という例が挙げられます。アメリカの生態学者ギャレット・ハーディンは、1968年に学術雑誌『サイエンス』に発表した同名の論文で、コモンズは原理的に維持不可能であるという見解を提示しました。共有地は、共同体成員がそこから適度に資源を採取していれば存続できるのに、各人が自己利益のみを追求して乱獲する結果、資源が枯渇してしまうという悲劇です。個々の農民は、私的に所有する土地では牧草がなくならないように牛の数を調整しますが、複数の農民が共有する牧草地では、各人がおかまいなしに自分の牛を増やしつづけるので、結局は牧草地の草が枯渇するというわけです。

資本主義を支持する人々はこのモデルを、生産手段の共有は社会的ジレンマを必然的にもたらすがゆえに失敗するのであり、私有財産制度が最も効率的であるという主張の論拠として利用しました。社会的ジレンマとは、個々人が利己的な行動をとると、それが多数になった場合に、共通利益（たとえば自然資源や生存に適した環境）が損なわれ、社会的にも個人的にも不利益をこうむる状況です。「共有地の悲劇」は社会的ジレンマの典型例とされました。

その後、この「共有地の悲劇」をめぐって論争が繰り広げられましたが、1980年代末からのソ連型体制の崩壊によって、この理論が実証されたという理解が主流となりました。それによると、生産手段を共有する経済体制は必然的に社会的ジレンマに陥り、十全に機能しないのであって、私有財産制度こそが最も効率的に資源を活用できるというわけです。

ところが、地球上の各地には、今日も持続するコモンズが現実に数多く存在します。農業共同体における共有地は何千年もの間、維持されてきたのであり、歴史的事実としては「共有地の悲劇」は妥当しません。ハーディンの学説では、この現実をうまく説明できませんでした。

その後、1990年にアメリカの政治・経済学者エリノア・オストロムが、『コモンズのガバナンス』という著作を発表しました。彼女は実際の共有地を調査し、共有地の利用者についての境界、使用量に関する規則、民主的な規則の決定などが存在することで、社会的ジレンマは防がれていると結論づけました。

生産手段のような資産の管理方式で従来、重視されてきたのは、市場と国家です。私有財産に基づくのが市場で、共有財産に基づくのが国家であるという理解が一般的でした。ところがオストロムは、市場でも国家でもなく、共同体が共有財産を管理する形態が可能であることを証明したのです。

本書で強調してきたように、社会主義が本来追求してきたのは、市場でも国家でもない、市民の共同体による社会的所有です。オストロムのコモンズ論は、生産手段の社会的所有が持続的に可能であることを示した画期的な研究です。彼女は2009年のノーベル経済学賞を受賞しました。

オストロムのコモンズ研究は、伝統的な農業共同体における自然資源が対象でした。環境問題が深刻化する今日、オストロムの学説は、自然資源を共同で所有する可能性を示した点で意義があります。コモンズについての研究は、農林水産業やエコロジーの分野で盛んに進められています。[※4]

農業共同体において共有地が今日に至るまで長く存続してきたという歴史的事実、そしてその仕組みを理論的に解明したオストロムの研究は、生産手段の共有という社会主義経済の仕組みが「ここにある」ことを示しています。

伝統的共同体とコミュニタリアニズム

歴史的に見れば、社会主義が人間の共同関係を保持してきたのは、農業共同体の時代を通じて形成された伝統的共同体でした。このような伝統的共同体を現代に復権しようとする思想は、コミュニズムと区別してコミュニタリアニズム(共同体主義)と呼ばれます。エコロジーが自然を保護するコンサーヴァティズム(保守主義)であるとすれば、コミュニタリアニズムは伝統的共同体を保持するコンサーヴァティズムです。たとえば、アメリカで前近代的生活を今日も保守するアーミッシュの宗教共同体は、コミュニタリアニズムの実践と見なすことができます。

コミュニタリアニズムは、現代の資本主義市場経済において、すべての人間関係が道具化され、諸個人が相互に孤立している疎外状況を克服するために提唱されました。ただし彼らはソ連型体制を

※4…自然資源に限定されない、公共的なインフラという意味でのコモンズについては、第4章、第11章を参照。

コミュニズムと理解し、そこにおいても日常生活における人間関係が国家権力によって破壊されたと捉えます。それゆえコミュニタリアンはコミュニズムをも拒否し、それと自らを区別するためにコミュニタリアニズムと自称します。

社会主義派は、伝統的共同体をそのまま復活させるコミュニタリアニズムには反対です。伝統的共同体は血縁・地縁を基盤としているために、特定の権威を絶対化する権威主義、因習に固執する保守主義、共同体以外の個人を排除する閉鎖主義、自らの共同体を依怙贔屓《えこひいき》する特殊主義という負の側面と不可分でした。

社会主義の基礎となるアソシエーションは、伝統的共同体とは逆に、成員全員の議論によって重要事項を決定する民主主義、新たな規範を積極的に導入する革新主義、いかなる個人も受け入れる開放主義、自らの組織の利益を特別扱いしない普遍主義によって特徴づけられます。[※5]

私は、ソ連型体制の失敗は、むしろ伝統的共同体の延長線上に共産主義社会を構築しようとした点にあると考えます。かつて社会主義者の間では、資本主義社会を経験しなくとも共産主義社会を建設することが可能かどうかという論争がありました。

ソ連の指導者は、当時のロシアが資本主義のみならず自由主義の面でも遅れた国であったにもかかわらず、急速な経済開発を進めました。中国も資本主義は未発達でしたし、自由主義が定着していない段階で、新生国家として出発しました。その結果、これらの国々では、伝統的共同体の特質である権威主義が、政治経済の面で色濃く残りつづけることになります。

ロシアがソ連崩壊後に資本主義化し、中国が改革開放によって資本主義化の路線をとっている現在でも権威主義が残っているのは、両国において急速な資本主義化にもかかわらず、社会制度の面で自由主義がいまだに定着していないことを如実に示しています。これらの国の権威主義的性格は、社会主義のゆえではなく、伝統的共同体の体質が残存しているからなのです。

ですから、コミュニタリアニズムは、すでに失敗が証明された運動です。現代の資本主義国家の中に伝統的共同体を復興しようとするコミュニタリアニズムの企ても、同様に破綻するでしょう。ポスト資本主義を担う運動は、やはりアソシエーションの建設を指向する社会主義でなければなりません。

※5…詳しくは、松井暁『自由主義と社会主義の規範理論』第8章を参照。

SOCIALISM IS EVERYWHERE

第7章

「社会主義」を自称した国々

第2章や第5章で、ソ連や中国のような国家がなぜ社会主義ではないのかを論じました。しかし、それでも多くの人々が、これらの国々が社会主義の代表格であると思っているようです。確かにこれらの国々は「社会主義」を自称してきました。しかし、「社会主義」を自称することと、その国が本当に社会主義体制を実現していることとは、全く別の話です。

本章では、これまで「社会主義」を自称したこれらの国々が、とうてい社会主義とは見なせないことを明らかにしたうえで、それらがなぜ独裁や権威主義体制に行き着いてしまったのかを考えます。

ソ連型体制

みなさんが「社会主義」とか「共産主義」と聞くと、すぐに思い浮かべるのはソ連と中国でしょう。

これらの国々が「社会主義」国を自称し、教科書・学術書でもそのように扱われてきたので、このようなイメージをもつのは無理もありません。

本書ではこれまで社会主義の意味を、思想から体制に至るまで様々な観点から考察してきました。そこから得られた社会主義像からすれば、これらの自称「社会主義」国が社会主義の名に値しないことは明らかです。

自称「社会主義」国の代表はソ連です。自称「社会主義」国というのはどうもこなれていない言葉なので、以下ではこれを「ソ連型体制」と呼ぶことにします。

ここでは、本書のこれまでの叙述をふり返りながら、ソ連型体制が社会主義であったかどうかを検討してみましょう。社会主義とは、そもそも人々が自己実現のために社交しコミュニケートできる社会を指向する思想でした。人々が社交しコミュニケートするための条件は、階級や上下関係がない、水平で共同しあう関係が存在することです。

ソ連型体制においては、国家が秘密警察を使って国民の動向を監視し、言論や社会活動の自由を抑圧しました。人々が自己実現のために社交し、コミュニケートするような状況は、決して実現されませんでした。

社会主義の思想を社会体制として具体化する際の制度的基準が、生産手段の社会的所有です。それは、会社のような生産組織を、労働者・市民などのステークホルダーが民主的に管理・運営することです。

ソ連型体制においては、共産党幹部や国家官僚が支配階級を形成し、それゆえ国家も厳然と存在しました。生産手段の国家的所有とは、実質的にはそれらを支配階級が所有することであり、真の意味での社会的所有ではありませんでした。生産手段の社会的所有とは、労働者・市民が生産手段を所有し、民主的に運営することです。ソ連型体制には、この意味での生産手段の社会的所有が存在しなかったので、社会主義とはいえないのです。

自由主義は個人の自由を原理にして社会を構築しようとしましたが、それでは社会秩序を保持することができないため、平等や共同といった社会主義的な価値を取り込んできました。このことは、自由主義が社会主義に転化することによって、初めて私たちの社会が十全に存立可能であることを意味します。つまり、社会主義は自由主義を発展させた思想なのです。社会主義は、近代に発展してきた自由主義を拒絶するものではなく、自由主義をその一部分として包含する、より大きな体系なのです。

ところがソ連型体制は、自由主義と社会主義が決して相容れない敵対関係にあると捉え、自由主義の思想や制度を拒否し、自由主義と社会主義の間に鉄のカーテンを築きました。自由主義の発展としての社会主義というアプローチを拒否したのです。

第5章で論じた資本主義・社会主義と共同体・国家・市場の関係について見ると、資本主義は国家と市場を体制原理とし、社会主義は共同体を体制原理とします。すなわち社会主義は、そもそも市場のみならず国家の廃止も追求する思想です。それらの機能を補完的に活用することはあっても、社会主義がそれらを体制の原理として位置づけることは決してありません。

ソ連は社会主義だったか？

ソ連型体制の典型として、ソ連と中国の2国家がいかに社会主義から乖離している（いた）かを見ておきましょう。まずソ連についてです。

社会主義の本義は、人々が自己実現できるように社交しコミュニケートできる社会を追求することでした。しかしソ連では、ヨシフ・スターリンによる大粛清の時期に、秘密警察によって「反革命分子」として百万単位の人々が逮捕され、強制収容所・刑務所に送られました。その対象は共産党員のみならず一般の人々にまでおよびました。それゆえ誰もが密告を恐れ、本音で会話ができないような相互不信の状態におかれました。これは自由に社交しコミュニケートできる社会、すなわち共産主義社会とはいえません。

体制としての社会主義にとって重要なのは生産手段の社会的所有であり、それはステークホルダーによる生産協同組合の民主的管理・運営を意味しました。ソ連では、生産手段は国家の所有となり、党・国家官僚が実質的に支配しました。連邦政府が直轄《ちょっかつ》するゴスプラン（閣僚会議国家計画委員会）によって中央計画が作成され、連邦・共和国の部門別省、企業合同、企業という管理機構のヒエラルキーに沿って計画が具体化されます。

企業は企業長単独責任制に従って管理され、労働組合は企業の生産目的に従属させられました。[※1]現場の労働者は、名目的には生産手段の所有者でしたが、実質的には所有者ではありませんでした。

国有化イコール社会主義という理解がしばしば見られますが、これは誤りです。国家的所有と社会的所有は全く異なります。「社会」の内実は労働者・市民です。ですから社会的所有が意味するのは、労働者・市民が民主的に生産手段すなわち生産協同組合を運営することです。この点でソ連は共産主義社会ではありません。

社会主義は自由主義を発展させる思想ですから、市民の自由や基本的人権を尊重したうえで、さらに平等な機会や共同する環境を提供します。ソ連では憲法上は市民の権利が保障されましたが、そこには市民全体の利益と社会主義体制を強化・発展させるためという制約条件がおかれていたために、形骸《けいがい》化していました。

社会主義は共同体を原理とし、国家と市場は原理になりえません。ソ連では国家が体制原理となり、共産党が指導する国家が政治・経済を一元的に管理しました。「国家社会主義」という範疇《はんちゅう》は語義矛盾であって成立しません。ソ連において国家が体制原理となっていたのであれば、ソ連は共産主義社会ではなかったのです。

中国は社会主義か？

次に、中国が社会主義といえるかを考えてみましょう。

中国では1960年代後半から70年代中葉にかけて、共産党中央委員会主席の毛沢東が主導した

※1…小野一郎「ソ連の社会経済体制とその崩壊原因」、杉本龍紀『「労働者」から『生産者』へ」を参照。

文化大革命という、中国社会全体を巻き込んだ政治運動が繰り広げられました。それは実際には、毛が敵視する改革派を失脚させるための政治闘争でした。文化大革命を推進する紅衛兵《こうえいへい》によって数多くの無実の人々が「ブルジョア分子」として摘発され、暴力をふるわれ、死に至る者も続出しました。人々は自らに危害がおよぶことを恐れ、他人と自由に話しあうことができなくなりました。それは人々が社交しコミュニケートする状況からかけ離れていました。

生産手段の社会的所有については、中国の場合、1970年代後半に始まる改革開放路線の以前と以後に分けて考える必要があります。改革開放以前に生産手段、すなわち国有企業の運営権を握っていたのは、共産党幹部と国家官僚でした。ですからソ連と同様に、生産手段は国家によって所有され、社会的所有は存在しませんでした。

改革開放後に資本主義化が進むと、党幹部と国家官僚は民間企業の経営を資本家に任せ、彼らから賄賂《わいろ》などを通じて利潤の一部を受け取るようになります。この国家資本主義においては、党幹部・国家官僚と資本家が結託して、広義の資本家階級を形成して生産手段を所有しており、労働者・市民による社会的所有は存在していません。

社会主義は、自由主義の不可能性という困難を引き受け、それを内在的に乗り越えようとする思想でした。毛の死後、復権した鄧小平が提唱した「中国特色社会主義」は、現在に至るまで中国の公式の指導理論です。この言葉にある「特色」には二つの意味があります。一つは、経済的には資本主義を導入しながら、政治的には共産党一党独裁を堅持するという意味です。

もう一つの意味がここでは重要です。中国の指導部からすれば、西方(西洋)の社会主義は自由主義の普遍性を前提としています。それに対して彼らは、基本的人権や市民的自由を否定した独自の社会主義がありうると考えているようです。社会主義は自由主義の発展の上に成り立ちます。自由主義を拒否する「中国特色社会主義」は社会主義ではありません。

改革開放以前の中国では、市場経済が制約を受けていたことは確かです。しかし、共同体が体制原理になっていたわけではありません。毛が主導した1958年からの大躍進運動では、自給自足の集団生産・生活単位としての人民公社が設立されました。公社はコミューン＝共同体を意味し、共同体が体制原理であるように見えます。

しかし現実には、当時の第二次五カ年計画は、中国指導部が西側資本主義諸国を経済的に凌駕《りょうが》しようともくろんで、無謀な生産目標を国民に押しつけたものでした。人民公社はそのノルマを上意下達で実行するための末端行政機関にすぎませんでした。

改革開放以後の中国経済が資本主義であることは、誰の目にも明らかです。資本主義では、市場と国家が体制原理です。中国共産党が一党独裁によって権威主義的に国民を支配しており、国家がより強い原理となっています。社会主義とは無縁の国家資本主義です。

自称「社会主義」

原理的な部分で本来の社会主義から外れているとしても、当の本人または国家が社会主義を名乗っているのだから、ソ連や中国を社会主義と理解するのは当然だという意見があるかもしれません。

社会主義の看板は、19世紀末から20世紀にかけては労働者・人民を代表するイメージがあり、好感をもたれていました。それゆえ政党・国家の中には、実態は社会主義とは正反対であるにもかかわらず、国民の支持を得るために社会主義の名を騙《かた》るものがありました。

政党名としては、アドルフ・ヒトラーが指導したナチ党が挙げられます。その正式名称は国民社会主義ドイツ労働者党でした。この政党は、労働者階級や中間層の支持を得るため党名に「社会主義」と「労働者」を盛り込みましたが、実際には民族主義的な立場から自国資本家の利益を擁護し、社会主義者や労働組合員を弾圧しました。

国家名に社会主義を掲げた例としては、1962年に旧ビルマのネ・ウィンが軍事クーデターによって樹立したビルマ連邦社会主義共和国があります。彼の率いるビルマ社会主義計画党は、軍部の利益を守るために軍事独裁・統制経済・鎖国政策をとり、これをもって「ビルマ式社会主義」と形容しました。しかしその実態は、今日のミャンマー軍事政権と変わるところはありませんでした。

ですから、ある政党や国家が社会主義という看板を掲げていても、その実態も社会主義であるということにはなりません。むしろ社会主義の理念とは正反対ということもありうるのです。

彼らは社会主義を追求したのか

こうした議論に対しては、次のような疑問が投げかけられるでしょう。「ソ連や中国を建設した指導者たちは、社会主義者として、自らが社会主義と信じる体制を築こうとしていた。それにもかかわらず社会主義から逸脱《いつだつ》したとすれば、それはそもそも社会主義を体制として構築することが不可能だということではないか」。

この疑問は確かにもっともです。ソ連の創設者ウラジーミル・レーニンは18歳で『資本論』に出会い、中華人民共和国を建設した毛沢東も若い時期から『共産党宣言』を読んで革命家として活動してきました。確かに彼らは主観的には社会主義者であると自負していました。

しかし彼らが主観的に社会主義を追求していたことと、彼らが客観的に社会主義を追求していたかどうかとは、区別しなければなりません。彼らの考える社会主義とは、共産党の一党独裁のもとでの、中央集権的統制経済と権威主義的政治体制のことでした。彼らは生産手段を労働者・市民が民主的に所有・運営する経済も、個人の自由と民主主義が保障される政治も、当初からめざしていなかったのです。

「ソ連型体制の建設を指導した人々は、本来は自由と民主主義が尊重される社会を築こうとしたが、結果的にはディストピアに陥ってしまった」。このような説明がしばしば見受けられます。しかし、これは明白な事実誤認です。レーニンや毛は社会主義を、自由主義や「ブルジョア民主主義」の反対物だと理解していました。

社会主義とは自由主義の発展であり、政治経済の民主的運営です。ソ連型体制の指導者たちが追求したのは、この意味での社会主義とは正反対のものです。彼らは客観的には社会主義の建設を追求していなかったのです。

なぜディストピアに陥ったのか――国内的要因

ソ連・中国に限らず、キューバやベトナムなども似たような状況に陥ったことに鑑《かんが》みれば、私はソ連型体制がディストピアに陥った要因として、指導者の問題よりもむしろ、次に挙げる社会経済的側面を重視すべきだと考えています。

その一つは、ソ連型体制を構築した国々が、その当時には資本主義が未発達な、経済的には遅れた段階にあったという事実です。1917年のロシア革命直前には、ロシアの産業構造は農業に偏《かたよ》り、鉱工業の重要部分は西側資本に握られていました。国民の識字率は20％程度にすぎませんでした。中国も1949年の共和国成立直後には、農業の就業構成比が80％を超え、いまだ前工業化社会の段階にありました。

資本主義社会においては、大規模な生産を可能にする株式会社とそれらの集積・集中による独占企業が登場し、国家による社会資本の建設と経済計画の策定が進みます。これらの条件を基礎にしたうえで、生産・消費協同組合間の民主的協議によって社会主義的な計画経済は運営されます。ソ連や中国では、こうした条件は全くありませんでした。それゆえこれらの国々では、共産党指導部と国家官僚の指令による統制経済が定着してしまいました。何もないゼロの状態から計画経済を築こうとすることが、無謀な試みだったのです。

ソ連型体制をとった国々は、経済面のみならず、政治面でも遅れた状況にありました。革命前のロシアでは皇帝ニコライ2世の専制が続き、1905年のロシア第一革命の後にドゥーマという国会が開設されました。しかしそれは、制限選挙のもとで貴族・地主層が支配する機関でした。十月革命後の1918年には普通選挙による憲法制定議会が発足しました。しかしレーニンはクーデターを起こしてこれを解散させ、ボリシェヴィキによる独裁政権を確立します。それ以降、ソ連では議会制民主主義が根づくことはありませんでした。

中国の成立が議会制民主主義とは無関係だったことはいっそう明らかです。対日戦争に勝利した中国では、1946年から国民党と共産党が再び本格的な内戦に突入します。1949年には人民解放軍が北京に入城し、毛沢東が中華人民共和国の創設を宣言します。つまり今日の中国は民主的な選挙ではなく、戦争での勝利によって政権についたのです。中国は体制の基盤を議会制民主主義においていないのです。

なぜディストピアに陥ったのか——対外的要因

多くの自称「社会主義」国が、経済的には中央集権的統制経済、政治的には権威主義を採用した背景には、対外的な要因もあります。これらの国々が革命によって建国した時期に、周囲の資本主義国はそれを妨害するために干渉してきました。

ロシア革命によりボリシェヴィキが政権を掌握しますが、その後も外国が支援する白軍《はくぐん》という反革命軍との内戦が続き、さらには日本も参加したシベリア出兵のように、当時の資本主義列強が軍隊を送り込んで、革命政府を転覆しようとしました。

中国が中華人民共和国を建国したのは、国民党軍との内戦に勝利したからでした。台湾には国民党政府が健在であり、資本主義国は台湾の政府を支持していました。さらに1950年に始まる朝鮮戦争では、アメリカを主力とする国連軍が中国と北朝鮮との国境にまで迫ってきました。

キューバではフィデル・カストロが率いる反政府勢力が、1959年に親米のバティスタ独裁政権を打倒しました。これに対してアメリカのCIA（中央情報局）は1961年、亡命キューバ人を軍事訓練してキューバ上陸作戦を実行し、革命政権を転覆しようとしましたが、失敗に終わりました。

このように、これまでソ連型体制が新生国家として自立しようとした時期には、必ず資本主義国が軍事力を行使して妨害してきたという歴史的事実があります。国内の反政府勢力は、資本主義国から武器や資金の援助を受けて政府を転覆しようとします。ですからこれらの政府は、独裁的手法でもって反政府勢力を弾圧する方法をとってしまうのです。

もちろん私は独裁には反対です。しかしソ連型体制における独裁は、社会主義の原理から導出されたものではなく、経済発展をめざす開発途上国の努力を資本主義国が妨害したことにも原因があるのです。

いかなる社会だったのか

では、これらのソ連型体制が社会主義ではなかったとすれば、それはいかなる社会だったのかという疑問が残ります。この問題に対する答えは、大きく二つに分かれます。第一は国家資本主義であったという説です。第二は、資本主義でも社会主義でもない階級社会だったという説です。

第一の国家資本主義説によれば、自称「社会主義」国では、共産党幹部と国家官僚が国有企業の経営者と結託して、労働者から剰余価値を搾取し、支配階級として君臨していました。[※2] これらの国では計画経済を標榜《ひょうぼう》していましたが、企業レベルでは計画は実施されず、商品市場のみならず労働市場も存在していました。ですから現実には、資本主義市場経済と変わるところはありませんでした。

上述のように、資本主義は市場を、社会主義は国家を中心とした経済であるという議論が見られますが、これは間違いです。一般に国家は、階級社会において支配階級が権力を独占している場合に発生します。資本主義社会では、資本家と労働者の二つの階級が存在し、資本家階級が支配者として国家権力を独占します。

社会主義がめざす共産主義社会では、階級と国家は廃絶されます。ソ連型体制において国家権力が強大化したのは、国家を支配することによって利益を得る資本家階級が存在したからであり、この点でこれらの国々は国家資本主義だとされます。

国家資本主義説からすれば、ソ連や中国は一種の開発独裁であったと見なすことができます。開発独裁とは、資本主義が未熟な途上国において、独裁政権が強大なイニシアティブをもって工業化を推進する体制です。開発独裁は戦後の韓国・台湾・フィリピンなどに見られました。日本の明治期における殖産興業政策も、開発独裁の一種と見なすことができます。さらにいえば、資本主義の祖国であ

※2…パレッシュ・チャトパディヤイ『ソ連国家資本主義論』を参照。

るイギリスも、資本主義が確立する過程では、国家権力が経済に介入して資本蓄積を進める重商主義政策を採用しました。これは開発独裁の原型といえます。

ソ連も中国も、建国当時は資本主義が未発達な後進国でした。それゆえ国家が先頭に立って、急速な工業化によって資本主義化を進める必要があったのです。これらの政権は、国家が主導した経済を「社会主義」と理解していたのですが、実態は開発独裁だったのです。[※3]

第二の階級社会説は、ソ連型体制は社会主義ではないだけでなく、資本主義でもなかったとします。社会主義でないのは、国家権力が労働者・市民を抑圧し搾取するような社会だったからです。資本主義でないのは、第一に、資本家が明確な形で存在しないからであり、第二に、ソ連であればゴスプランのような計画執行機関があって、それがマクロ経済を計画的に運営しようとしていたからです。

この説によれば、この体制は資本主義ですらない階級社会という点で、前近代の封建社会に類似しています。ロシア革命後のソ連は封建社会であったと主張するロシアの歴史学者もいます。[※4]これはコミュニタリアニズムが推奨する伝統的共同体を復活させた体制ともいえます。現在、ウラジーミル・プーチンがツァーリ（ロシア皇帝）のように君臨する状況は、ロシアの後進性を物語っています。彼が旧ソ連の諜報《ちょうほう》機関であるＫＧＢの職員だったことは、ソ連も実は非近代的な体制だったのであり、自由主義の発展の上に形成される社会主義ではなかったことの一つの証左です。

このように、ソ連型体制がいかなる社会であったのかをめぐっては、論争が続いており決着はついていません。しかし、社会主義とは労働者・市民が生産手段を所有して運営する社会であると規定するならば、この体制が社会主義でないことは確かです。

※3…「ではソ連や中国はその当時どうすべきであったのか」という質問については、私は次のように考えています。ソ連や中国は革命を成就した後、自由と民主主義を尊重する政府のもとで、資本主義の着実な発展を追求すべきでした。このことは今日の発展途上国についても当てはまります。今日の世界で体制としての社会主義に最初に移行するのは、開発途上国ではなくて先進資本主義国です。社会主義は、自由主義と資本主義の十全な発展の上に初めて可能なのです。

※4…鈴木健夫「現代ロシアの歴史家による『ソ連＝封建社会』論」を参照。

SOCIALISM IS EVERYWHERE

第8章

競争と共同

競争による発展?

社会主義を否定する理由として、次のような声がよく聞かれます。「資本主義では誰もが互いに競争しあい、成功するために一生懸命がんばっているので、社会全体としても発展する。ところが社会主義では競争がなく、がんばってもがんばらなくてもみんな平等なのでやる気がなく、社会全体としても沈滞する」。このような俗説に反論するために、本章では競争を原理とする資本主義と、共同を原理とする社会主義を比較します。[※1]

本章で社会主義の実例として取り上げるのは、北欧福祉国家です。これらの国では社会主義勢力

※1…「競争」の反対は通常は「協同」です。「協同」と「共同」はニュアンスの違いはありますが、本書は共同主義(コミュニズム)を主題の一つとしているので、ここでは競争の反対語を共同とします。

が政権につくことで、充実した社会保障など社会主義的な制度を実現してきました。もちろん現在の北欧福祉国家は、資本主義市場経済を基礎におき、国家も前提としています。社会主義は市場も国家も廃絶した共産主義社会をめざすものなので、決してこれを共産主義社会と呼ぶことはできません。

しかし第2章で述べたように、社会主義は制度や方向として捉えることができます。後述のようにスウェーデンでは、労使共同決定制や労働者重役制が実施され、さらに労働者が会社の所有者となる労働者基金制度が一時的には導入されました。これらの制度は、労働者による生産手段の運用を可能にする点で、社会主義的性格をもっています。

また、社会主義派が政権を担う北欧福祉国家では、諸個人が市場から離脱しても生活水準を維持できる「脱商品化」、すなわち市場経済から脱却しようという方向性が見られます。さらに、国家の権限を地方自治体に委譲《いじょう》するフリー・コミューンの実験にも、国家権力の縮小という方向性が認められます。

したがって、2020年代の世界で最も社会主義の性格を強く有するのは、北欧福祉国家の社会主義的な制度なのです。そこで本章では、北欧福祉国家に見られる社会主義的な制度を考察します。※2

分断と格差

まず、なぜ私たちは競争しなければならないのでしょうか。会社の中での労働者間の競争を考えましょう。会社を支配する資本家の目的は利潤追求であり、利潤の本質は労働者から搾取した剰余価値です。資本家はなるべく多くの剰余価値を労働者から搾取しようとします。そのために労働者を分断して相互に競争させます。

階級社会における二大階級は、搾取する支配階級と搾取される被支配階級です。奴隷制では主人と奴隷、封建制では領主と農奴、資本主義では資本家と労働者です。いずれの時代も支配階級は少数者、被支配階級は多数者です。多数者である被支配階級が団結して、少数者である支配階級に歯向かったら、支配階級はひとたまりもありません。ローマ帝国における奴隷のスパルタカスが率いた反乱や、日本での数々の百姓一揆など、多数の民衆が蜂起《ほうき》すれば支配者は権力を脅かされることもあります。

それゆえ支配階級にとって、二大階級の間の対立をそのままにしておくことは、自らの支配を永続させるうえで得策ではありません。そこで支配階級が考案したのが、被支配階級を分割して相互に反《はん》目《もく》させる分断統治という手法であり、それを徹底させるために活用されたのが身分制度です。支配階級と被支配階級の間に中間階層をおき、階層区分をつくりだします。中間階層の人々は、自らの地位と所得が他人よりも相対的に高ければ、支配階級と被支配階級の対立において、後者ではなく前者に味方するでしょう。このようにして支配階級は、自らの立場を安泰《あんたい》にすることができたのです。

※2…私は北欧福祉国家が社会主義のモデルだと述べているわけではありません。福祉国家は体制としては資本主義である以上、限界があります。現代世界において社会主義の特色を最も見いだすことができるのは北欧諸国だという趣旨です。

資本主義社会では、法律上は身分制度が廃止されたものの、経済的には資本家と労働者の間の格差は、それ以前のどの階級社会よりも大きくなりました。しかも、資本家階級と労働者階級の間に中間階層がおかれている点は、それ以前の階級社会と同様です。労働者階級は精神労働者（ホワイトカラー）と肉体労働者（ブルーカラー）に分けられます。カラー（collar）は襟《えり》のことです。ホワイトカラーはブルーカラーのことを「労働者」と呼び、自らは労働者ではないと意識します。ホワイトカラーの一部は管理職エリートとして、資本家を補佐する役割を果たします。会社組織は、会長・社長・専務・常務・部長・次長・課長・係長・主任・一般社員のように階層化され、上意下達が徹底されます。

ただし資本主義社会の階級制度には、前近代の階級制度とは異なる大きな特徴があります。前近代の階級制度では身分は世襲《せしゅう》され、下位の身分にある者が上位へと移動することは基本的には不可能でした。これに対して資本主義社会は、法律的には世襲制の身分制度は存在しませんから、階層を上昇することは不可能ではなくなりました。このこと自体は機会の平等を拡大する点で、歴史的には進歩であると評価できます。

しかしその一方で、労働者階級の人々は、子どものときから受験競争、社会に出たら出世競争と、労働者間の競争に駆り立てられることになります。ある労働者にとって、同僚の労働者は友ではなく敵であり、差をつける相手です。それゆえ労働者間の団結は妨げられます。[※3]

しかし、労働者がいくら競争しても、エリートになれるのは一握りにすぎません。資本家はエリートに対して相対的に高い賃金を支払わねばならないので、この点だけ見れば損失です。しかし、一部のエリートに高い賃金を支払うことによって、大多数の労働者がそれを羨望《せんぼう》し、競争を激化させるのであれば、それによって資本家の得る利潤は増大しますから、大局的に見ればそのほうが資本家にとって有益です。

社会的ジレンマと労働者の共同

資本家が仕掛ける労働者間競争は、労働者側から見れば、第6章で述べた社会的ジレンマの状況です。時間賃金であれ出来高賃金であれ、ある労働者が競争主義的管理に乗って一生懸命働けば、一時的にはその分だけ給料は増えます。しかしそれを見た他の労働者もみな、自分もたくさん稼ぎたいと思って同様にたくさん働きます。

すると資本家は、それだけ働くのが普通だという口実で、その労働量を標準として月給が以前と同じになるように、賃金率(時給または製品1個当たり賃金)を改定します。その結果、長期的には以前よりたくさん働いているのに給料は変わらないことになり、労働者全員の状況が悪化します。

ですから労働者にとって最適な選択は、誰も競争主義的管理に乗らず、従来の労働量を維持することなのです。ところが、このことがわかっていながら、一時的であっても自分だけ高い給料を得る

※3…日本の企業では「会社の一員」という意識が強いので、「同僚が敵」という感覚は薄いという意見があります。しかし、日本の企業では職場に問題があっても、労働者どうしが団結するのではなく、会社に擦り寄ることによって解決しようとする風潮が強くあります。会社に異を唱える労働者を他の労働者がいじめる事例さえ、しばしば見られます。つまり「会社の一員」という意識は「同僚が敵」という感覚と両立するのです。

ためにたくさん働く労働者が一定数に達すると、結局は資本家の思う通りに、労働者全員がより多くの剰余価値を搾取されることになります。

社会的ジレンマの理論では、結果的に社会的にも個人的にも不利益をもたらすにもかかわらず、利己的行動をとる者をフリーライダー（ただ乗り）と呼びます。この場合、競争主義的管理に乗っかってたくさん働く労働者がフリーライダーです。

歴史的には、このような資本家の労働者に対する分断統治と競争主義的管理がくり返されるうちに、労働者の側に、競争ではなく共同の路線をとる動きが生じます。それが労働組合（labor union）でした。資本家が競争主義的管理を提示してきたときに、労働者は団結（unite）して、そのような誘いを拒否します。そうすれば、全員がこれまでと同じ給料でたくさん労働しなければならないような事態を防ぐことができます。

一生懸命働く人をフリーライダーと見なすのは、日常感覚からすると意外かもしれません。しかし労働組合の出発点はここにありました。資本家にとっては、労働者が団結してたくさん働かないことが最大の脅威です。一人が抜け駆けしてたくさん働くと、結局は労働者の状況が悪化するのです。

では、労働者たちが賃上げや待遇改善を望む場合はどうすればよいでしょうか。労働組合として、資本家と団体交渉をおこなう方法があります。もし資本家が労働者の要求に応じないなら、労働者は一致団結して労働を拒否する、すなわちストライキをおこなうことで、資本家に圧力をかけることができます。

ただし、ここでもフリーライダーが出現する可能性はあります。ストライキに参加せず仕事についた者には特別な褒賞《ほうしょう》を出すといったように、資本家は労働者の団結を掘り崩す画策をおこないます。労働者側がこうした策略に乗らずに団結を維持できれば、資本家は音《ね》を上げて、労働者側に最適な帰結（たとえば賃上げ）がもたらされます。

日本では1990年代以降に正社員の割合が減り、非正規雇用が増えつづけた結果、労働組合の組織率が減少しました。資本家側が非正規雇用を増やしたのは、それによって賃金水準を下げるためだけでなく、労働組合の組織率を減らすことも大きな目的でした。これも伝統的な分断統治の一つの手法といえるでしょう。

北欧福祉国家における労働者の共同

では、社会主義的な傾向の強い北欧の福祉国家ではどうでしょうか。

北欧諸国では労働者間の連帯が尊重され、高い賃金水準と良好な職場環境が保たれています。北欧の労働者は競争ではなく、共同によって豊かな生活を享受しているのです。この事実をスウェーデンを中心に見てみましょう。

まず北欧諸国は、労働組合の組織率が日本の3倍以上と高い水準にあります（図表8－1）。第二次世界大戦後から1980年代までのスウェーデンでは、ほとんどの期間に与党であった社会民主労働党政権のもとで、労働総同盟（ＬＯ）という労働組合の代表とスウェーデン経営者団体連盟（ＳＡＦ）という産業界の代表が、全国レベルで団体交渉する方式が定着していました。今日では労働組合も産業界の代表も多元化していますが、組合が産業界に対して大きな発言力を有する点は変わっていません。

この方式を推進するためにＬＯが追求してきたのが、連帯的賃金政策です。これは企業や部門ごとで異なる生産性や利潤率に関係なく、職種ごとに同一労働同一賃金を適用する政策です。同じ職種の労働にたずさわっているのに、企業や部門が異なると賃金が異なるのでは、企業や部門を超えた労働者の連帯は困難になるでしょう。日本では企業別の労働組合が一般的で、賃金体系も企業によって異なります。それゆえ、大企業と中小企業では賃金水準に大きな差があり、同じ職種でもそれぞれの労働者が連帯して企業と交渉することが難しくなります。

連帯的賃金政策によって、この問題が解決可能となります。北欧諸国は国民間の所得の平等化を推進しており、世界でも所得格差が最も小さい水準にあります。これによって労働者間・労働組合間の共同関係が促進されました。

しかも、生産性や利潤率の低い企業・部門にも同一労働同一賃金が適用されるので、これらの企業・部門にとっては、賃金が商品価格に占める割合が高くなります。その結果、企業には生産性が低

◉図表8-1　労働組合組織率の国際比較

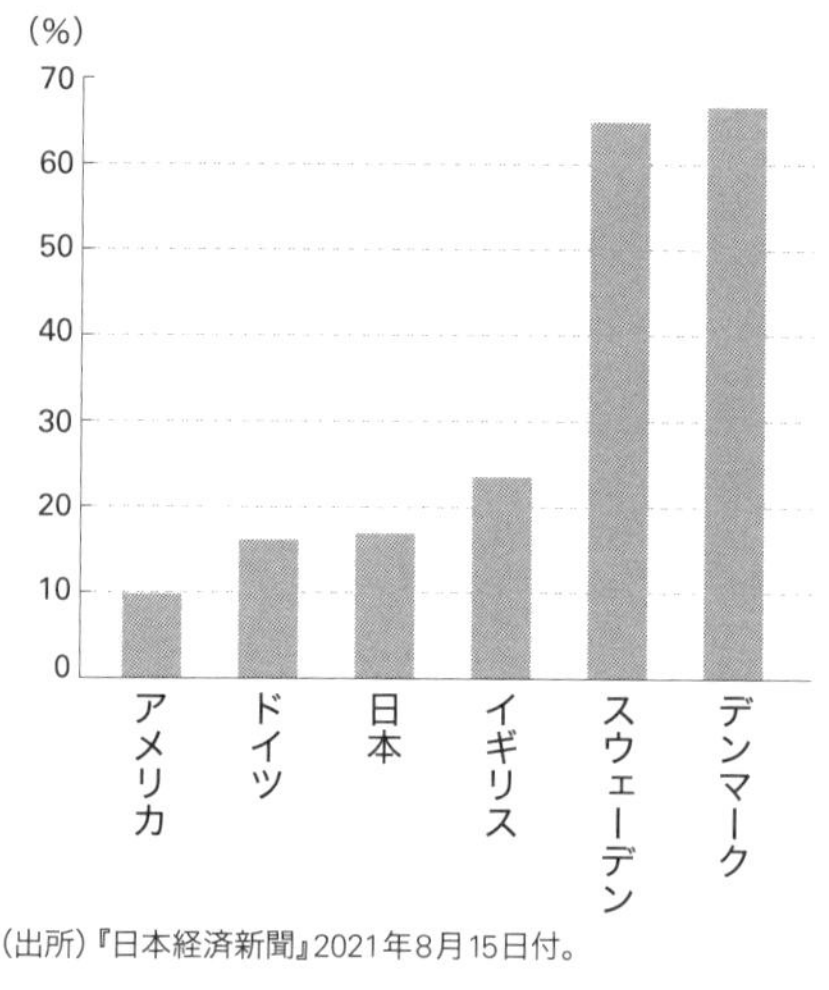

（出所）『日本経済新聞』2021年8月15日付。

い部門から高い部門に移動しようとする誘因が働きます。

スウェーデン政府は、労働者が安心して転職できるような手厚い雇用保険制度のみならず、生産性の高い部門で雇用を促進し、失業者への職業訓練を強化する、積極的労働市場政策を推進しました。これらの政策と相まって、連帯的賃金政策は産業構造の高度化を進める役割も果たしました。

所得水準を平等化すると、労働者たちは「がんばってもがんばらなくても給料が同じなら、真面目に働かないほうがましだ」と考えるので、生産性が上がらず経済が停滞するのでは、という懸念を抱く方がいるかもしれません。しかしスウェーデンでは、むしろ連帯的賃金政策と積極的労働市場政策によって、経済全体として生産性の向上が促されました。

つまりスウェーデンでは、労働者間の競争と格差ではなく、共同と平等を促進することによって、経済面での実績を挙げてきたのです。

共同と効率性

「企業間の競争こそが新しい技術を生み出して経済を発展させるのだ」という議論について考えてみましょう。北欧諸国は、経済成長率、賃金の伸び、労働生産性において、資本主義を徹底した新自由主義路線をとる日本と比べて優れています。図表8-2でスウェーデンと日本を比べると、経済成長率ではそれぞれ2・18%と0・73%、賃金の伸びでは1・59%と0・09%、労働生産性では70・64ドルと48・14ドルです。両国の経済パフォーマンスの差異は歴然としています。

北欧諸国の良好な経済パフォーマンスをもたらしているのは、市場での企業間競争ではありません。第一に、図表8－3が示すように、北欧諸国は公営部門の割合が高く、全労働者数に占める公的部門の労働者の割合は20％を超えてトップクラスです。新自由主義を信奉する学者や政治家は、公的部門は競争がなく非効率であるという理由で、民営化を推進してきました。その結果、日本では公的部門の雇用者の割合は10％を切り、ＯＥＣＤ（経済協力開発機構）諸国では最低水準です。新自由主義が理論として破綻していることは明らかです。

第二に、北欧諸国は企業間関係についても、競争ではなく共同の路線をとっています。今日のグローバル化のも

●図表8-2　経済パフォーマンスの国際比較

	先進国平均	日本	アメリカ	イギリス	フランス	ドイツ	デンマーク	フィンランド	スウェーデン
経済の成長率	2.24%	**0.73**	1.97	1.70	1.30	1.26	1.28	1.39	2.18
賃金の伸び	1.38%	**0.09**	0.96	0.93	1.03	0.90	1.18	0.91	1.59
労働生産性	58.27ドル	**48.14**	74.19	61.27	67.60	66.94	75.41	61.37	70.64
所得格差	0.31	**0.33**	0.40	0.37	0.29	0.29	0.26	0.27	0.28
貧困世帯の割合	11.0%	**15.7**	18.0	12.4	8.4	9.8	6.4	6.5	9.3
教育への投資	10.6%	**7.8**	11.5	11.7	8.5	9.2	11.4	9.7	12.0
男女の平等	0.76	**0.66**	0.76	0.78	0.78	0.80	0.77	0.86	0.82
社会の腐敗度	0.58	**0.64**	0.70	0.46	0.57	0.46	0.18	0.19	0.24
他者への信頼度	214.1	**-62.0**	223.0	376.8	205.4	173.1	521.3	420.2	522.2
健康寿命	70.7歳	**74.1**	66.1	70.1	72.1	70.9	71.0	71.0	71.9
治安	1.67	**1.35**	2.23	1.73	1.93	1.65	1.28	1.35	1.48
失業率	5.98%	**2.53**	5.21	3.87	8.48	3.44	5.26	7.27	7.16
幸福度	6.80	**6.12**	7.03	6.80	6.71	7.31	7.52	7.89	7.31

（出所）『日本経済新聞』2022年1月1日付。

とで、技術革新の内容が高度になってくると、企業間の競争よりも共同が重要になってきます。「イノベーションは、様々な分野の知識を持つ個人、組織、また新たな製品への要求を持つ市民などがアイデアを出し合い、解決を見出そうと『相互学習』するといった相互交流・協働にその核心があり、それがイノベーションを支える」のです（篠田武司「スウェーデンにみる新たな成長モデル」227ページ）。社会に存在するノウハウを相互に隠しあって競争するのではなく、それらを持ち寄って共同で取り組んだほうが効果的なのです。

メンバーが相互に競争の関係にあり、相手に対する信頼が欠如していると、共同の戦略をとることができないため非効率な状態に陥ります。これも社会的ジレンマの状況です。競争ではなく共同の路線が可能になるためには、メンバーの間に信頼関係が存在しなけれ

●図表8-3　公的部門の労働者の割合

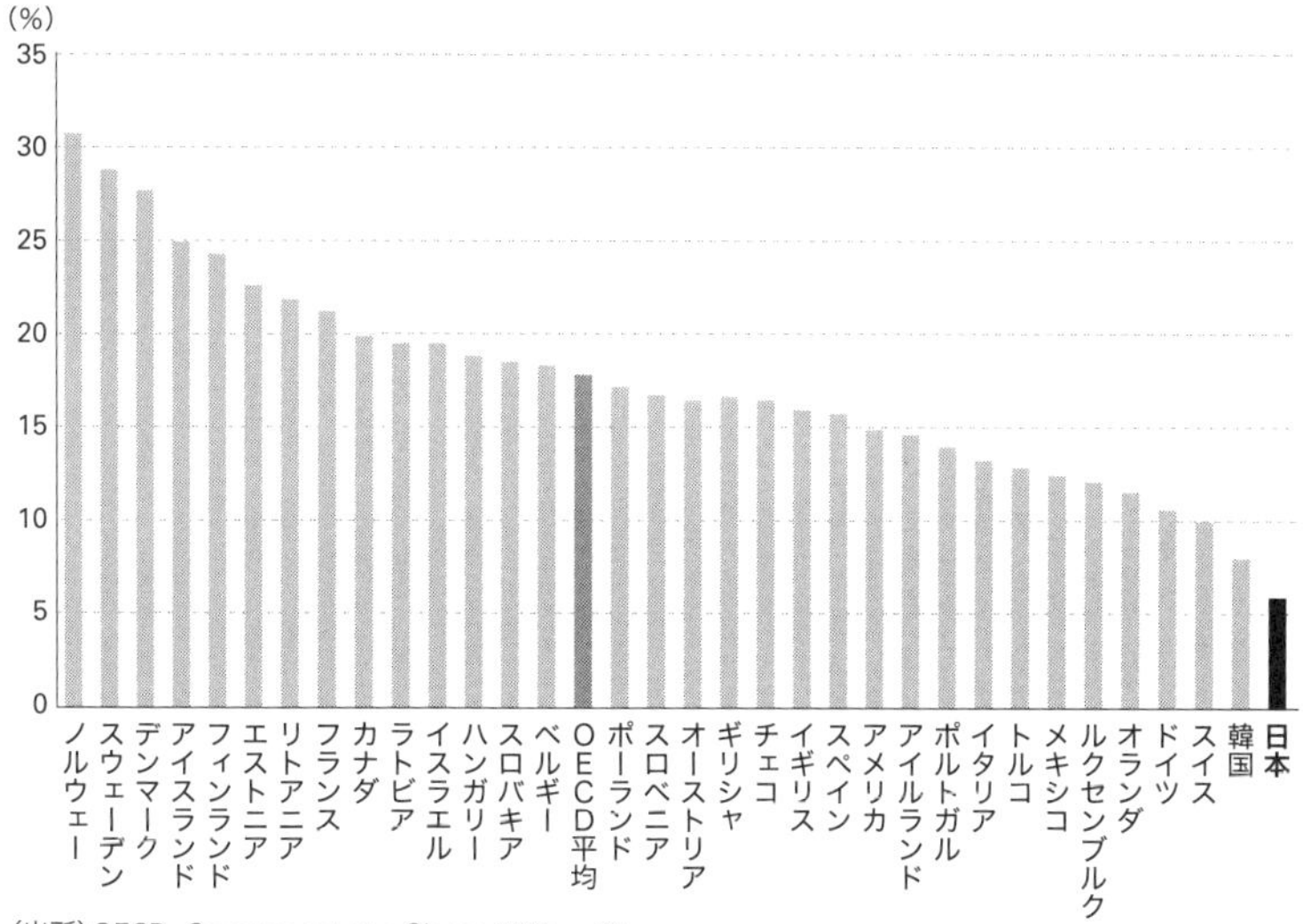

（出所）OECD, *Government at a Glance 2021*, p.101.

ばなりません。信頼のような、共同を生み出すための目に見えない環境を「社会関係資本」といいます。社会資本（social overhead capital）は、日本では道路のような物的なインフラストラクチャーを指すので、それと区別して、人間の間の目に見えない関係を社会関係資本と呼びます。

上記の図表8‐2で「他者への信頼度」を見ると、日本はマイナス62・0であるのに対してスウェーデンは52・2であり、その差は歴然としています。資本主義の比重が大きい日本では、人々が競争関係におかれていて相互に分断されているので、社会関係資本が貧弱です。社会主義の比重が大きいスウェーデンでは、平等と共同の関係が尊重されるので、日頃から社会関係資本が醸成《じょうせい》されています。優秀な人材に加えて、社会関係資本が充実していることも、社会主義への方向性が強い北欧諸国が、資本主義の日本に経済指標の面で勝る要因です。

共同の教育

日本と北欧諸国は、石油資源に恵まれるノルウェーを除けば、国土がさほど大きくなく、自然資源も少ないという点で共通します。それゆえ、両者にとって最も重要なのは人的資源です。北欧諸国が技術や経済の面で良好なパフォーマンスを実現している大きな要因は、良質な教育による優れた人材の育成にあります。その教育の特徴は、共同と平等です。

共同の教育では、受験競争のように生徒どうしを競わせることはありません。教育の目標を、個人の成績アップではなく集団としての学力向上においています。学習活動は個人間の競争ではなく、クラスなどの集団内での共同作業によって進められます。ある科目について、できる生徒はできない生徒に教えるなどしてバックアップします。[※4]これによって、できない生徒の学力が上昇することはいうまでもありません。同時に、教える側の生徒も教えるという作業を通じて、より深い理解が得られるようになるだけでなく、自己外面化（自己実現の第二の要素）の機会を得られます。

共同の教育では、国民の誰もが所得・性差・人種などの相違に関係なく平等な教育の機会を与えられ、子ども間・学校間の格差がつかないように配慮されます。小学校から大学に至るまで学費は無料なので、家庭の所得にかかわりなく誰もが自分の能力を発揮する、すなわち自己現実化（自己実現の第一の要素）の機会を与えられます。学習塾も受験競争もありません。学校のクラス編成においても、学業のできる生徒とできない生徒を区別することはありません。この平等主義的政策のおかげで、落ちこぼれた生徒の割合は小さく、OECDが実施しているPISA（生徒の学習到達度調査）では高い水準にあります。

北欧式の共同・平等の教育では、生徒は勉強した内容そのものに対する関心を培《つちか》い、自ら内発的動機をもって能動的に学習します。しかも、一生にわたって学問に対する興味を維持しつづけ、習った内容を実践に生かすことが可能です。それゆえ、いちど就職した後で大学に入り直すケースも多くあり、リスキリングが盛んです。

たとえばフィンランドでは、高等学校を終えた段階で誰もが、仕事に必要な水準の英語を使いこな

※4…福田誠治『競争やめたら学力世界一』を参照。

することができます[※5]。フィンランド語はヨーロッパのほとんどの言語と全く異なるウラル語族に属しており、日本人と言語学的条件は同じです。大卒者のほとんどが英語を使いこなせない日本とは雲泥の差です。このような国民の教育水準の高さが、高い技術力と良好な経済パフォーマンスの大きな要因です。

競争教育の最大の弊害は、アンダーマイニング効果です。人間は、成績をめぐる競争のような外発的動機づけを受けつづけると、学習の内容に対する関心という内発的動機づけを喪失します。これをアンダーマイニング効果といいます。アンダーマイン（undermine）とは「阻害する」という意味です。

日本の生徒・学生の多くは、競争教育によって学問に対する内発的動機づけを失っているので、能動的に学習することが苦手です。ほとんどの学生は勉強を嫌なものだと思っています。それゆえ、大学に入った時点で9年間も勉強したことをほとんど覚えておらず、覚えていても実際に活用することができません。資源と労力の大きな浪費です。日本経済が長期的に停滞している最大の理由は、競争主義によって能力をもった人材が枯渇してしまったことにあると、私は考えています。

競争主義こそが高い学力をもたらすというのが日本の「常識」ですが、北欧では、質の高い教育を保障するのは共同主義と平等主義だと考えられています。図表8-4はフィンランドの教育学者が提示した、新自由主義型とフィンランド

◉図表8-4　新自由主義教育とフィンランド式教育の比較

新自由主義的教育	フィンランド式教育
競争	協働
標準化	人格化
テストに基づく個人の責任	信頼に基づく共同の責任
選択	均等

（出所）以下の動画におけるスライドを一部翻訳。
〈youtube.com/watch?v=WeMM-hL0KFY&t=4112s〉

型の教育の比較です。

共同・平等の教育を推進する北欧諸国では、教育の目標は各科目の知識を子どもに詰めこむことではなく、子どもが教科の内容に関心をもつことです。学問への関心を学生時代だけでなく、卒業した後も維持しつづけ、自ら能動的に学習する人間の育成が追求されます。日本にも「好きこそものの上手なれ」という諺があります。誰でも自分の好きなことは熱心に取り組み、自然と上手になるという意味です。フィンランド式教育はこの諺を実践しています。

学校教育のせいで人々が能力の開発を放棄してしまう新自由主義式教育と、人々が一生にわたって学問に対するモチベーションを維持しつづけているフィンランド式教育では、労働生産性に大きな差が出るのは当然です。この二つを、資本主義式教育と社会主義式教育といいかえることもできるでしょう。

共同と自己実現

資本主義の労働者間競争においては、各個人は周囲の人間と敵対関係にあり、彼らと連帯し信頼関係を築くことはありません。職場では「同僚」は仲間でなく、成果を競う敵です。こうした労働者が幸福を味わうことができるのは、消費の場面だけです。しかし消費者が商品を消費する過程も、や

※5…米崎里『フィンランド人はなぜ「学校教育」だけで英語が話せるのか』を参照。

はり社会的ではなく個人的です。すなわち一人で（あるいは家族内で）孤独に商品を消費します。そこに社会関係は生まれません。

資本主義の学校教育は受験競争を土台とします。子どもたちは成績をめぐって競いあう敵対関係にあり、成績の高低によって序列化されます。「友だち」が悪い成績をとるのは自分にとって好都合ですから、そこに真の友情関係が生まれることはありません。推薦入試なら内申書の成績がつく期間だけ品行方正にして、本音と建前を使い分けることになり、やはり親友をつくることができません。それゆえ学校生活の中で、子どもたちは社会性を築くことができず、大学生になっても「人見知り」となります。

もともと人見知りとは子どもについての表現でしたが、資本主義が浸透するにつれて成人の孤独化が進行し、大人についても使うようになりました。アメリカの政治学者ロバート・パットナムは２０００年の著書で、アメリカでは一人でボウリングを楽しむ人が増えていることから、諸個人の孤立化が進行していることを指摘しました。近年の日本でも、人間関係が希薄になる「無縁社会」に移行しつつあるという議論があります。※6

資本主義社会において人間が相互に対立し孤独化する現象を、マルクスは「人間の人間からの疎外」と呼びました（『マルクス＝エンゲルス全集』第40巻、４３８ページ）。資本主義が極度に深化した今日、マルクスのいう人間の人間からの疎外が、いっそう顕著な形で現れています。

社会主義的環境にある労働者は、所得や待遇条件が性差・職種・人種などにかかわらず平等に保障されているので、給料の増減に気をつかうことなく、自分の能力を開発し活用すること、すなわち自己を現実化することができます。労働者の人間関係は文字通り同僚であり、相互に協力して励ましあいながら仕事の内容を向上させます。また、自らの労働が世の中の役に立つことが、その労働者自身にとってのやりがいです。このようにして社会主義における労働者は、その能力を社会的に発揮する、すなわち自己を外面化することができます。

図表8−2の先進8か国の幸福度を比べると、社会主義の傾向が強い北欧諸国が高く、資本主義の日本が最も低いのは、後者において共同を通じた自己実現の機会がないことに起因します。

共同と多様性

「資本主義市場経済のもとでは分業が進展し、諸個人はそれぞれの得意分野に特化するので、個性と多様性が促進される。社会主義計画経済のもとではその反対になる」といわれます。果たしてその通りでしょうか。

図表8−4では、競争を原理とする新自由主義型教育では標準化が、協働を原理とするフィンランド式教育では人格化が推進されると対比されています。標準化とは、生徒がテストの点数という画一的な基準によって判定されることであるのに対して、人格化とは、生徒が自分の個性に応じて潜在能力を自由に伸ばすことです。

※6…ロバート・D・パットナム『孤独なボウリング』、NHKスペシャル取材班『無縁社会』を参照。

アメリカでもかつては公的機関が初等・中等教育を学区制によって運営してきました。[※7]ところが1980年代以降、教育分野にも新自由主義の影響が強まり、市場型の学校選択制が導入されます。選択制によって学校も生徒も、全校参加の統一テストなどの点数によって画一的に評価されるようになりました。[※8]

入学試験が重視される日本では、新自由主義的な教育政策によって、大学入試での画一的な競争がいっそう強まっています。[※9]生徒の成績を評価する基準は、全科目の総合指標である偏差値なので、どの生徒も偏差値の向上をめざして勉強します。その結果、どの生徒も画一的な知識を身につけ、自分が何を研究したいのかわからないまま、大学まで進学することになります。

大人たちの競争社会では、すべての人間は所得の多寡《たか》という画一的な基準によって評価されます。いかなる仕事をしているか、仕事を通じてどのような自己実現をしているかは問題になりません。消費の場面でも、どれだけお金を使ったかが重要です。消費の内容については、一見すると様々な商品があふれて多様化が進んでいるように見えます。しかし、それは大企業が商品のブランド、デザイン、包装などを変えて差別化しているだけで、実質的な内容は一律であり、誰もが同じパターンの消費に埋没《まいぼつ》します。[※10]したがって資本主義の競争は諸個人を、金太郎飴のように画一的で平板にしていきます。[※11]

社会主義的色彩が強いフィンランド式学校教育では、受験勉強も偏差値もありませんから、子どもたちを成績で評価する必要がありません。自分の好きな教科を、自分の納得のいくまで学習します。それゆえ高校卒業時には、各人がそれぞれの得意分野をもった個性豊かな人間となり、自分の進路について十分な自覚をもっています。高等教育には、学術を修《おさ》める通常の大学と、実践的な職業教育のための職業学校があり、いずれも高度の知識・技術を修めます。職業間の平等主義に基づいて、いずれの学校を卒業しても同等の賃金が保障され、いずれの職業についても同等の社会的評価と自負をもってたずさわることになります。

職業についても、所得の多寡ではなくて、いかなる仕事をしたか、いかに社会に貢献できたかが、社会にとっても本人にとっても重要です。誰もが自分の仕事に自信と誇りをもって取り組みます。また、誰もが大学に入り直して勉強する機会を保障されています。

学校教育の方針は成績の向上ではなくて、学問に対する関心を向上させることです。人々は一生にわたって勉強を通じて自分の能力を発展させようとします。それゆえ社会主義的な共同の教育では、人間として深みのある、独創性の豊かな諸個人が育ちます。

※7…初等・中等教育は、小学校から高校までの修学期間に相当します。

※8…鈴木大裕『崩壊するアメリカの公教育』を参照。

※9…中村恵佑「大学入試制度の変遷と新自由主義との関連性の検討」を参照。

※10…セブン-イレブン・ジャパン社長であった鈴木敏文は、消費の多様化について次のように語っています。「常識のうそはたくさんある。今は多様化の時代だという。ところが実は全然多様化なんかしていない。今ほど画一化している時代はないのです」（『日経ビジネス』１９９０年8月27日号、56ページ）。30年以上前の記事ですが、ＳＮＳが普及した現在、人伝てに人気商品に需要が集中するため、画一化はいっそう強まっています。

※11…資本主義社会で映画やラジオなどの文化産業が提供する商品が画一化し、それによって人間の精神も画一化する現象については、マックス・ホルクハイマー、テオドール・アドルノ『啓蒙の弁証法』を参照。70年以上前の著作ですが、情報化が進んだ資本主義社会における疎外の分析としても有効です。

アメリカン・ドリーム

「競争原理に基づく資本主義社会には、誰でも努力によって成功するチャンスがある、すなわちアメリカン・ドリームを追求できる。共産主義社会では、努力してもしなくてもみな平等なので、夢を追い求める向上心や勤労意識が生まれない」。このような議論をしばしば耳にします。

もともとアメリカン・ドリームとは、18世紀にヨーロッパから北米に渡ってきた移民たちの、一攫千金の夢のことです。確かにこの時期、イギリスで産業革命が起きると、彼らの中には一部ですが巨万の富を築き上げる者も現れました。これは単純商品生産から資本主義が形成される初期の現象です。

今日のように資本主義が成熟期に入ると、いったんできた階級関係は世襲されていきます。少し前にベストセラーとなった『21世紀の資本』の著者トマ・ピケティは、経済的階級が親から子へと継承されている現状を「世襲資本主義」と呼びます。世襲される資産には経済資本のみならず、文化資本、社会関係資本も含まれます。

「世襲資本主義」に関連する概念として、生産的資産を独占する資本家が労せずして莫大なレント（使用料）を取得する「レント資本主義」があります。[※12] レントとはもともと地代のことです。封建時代の領主は、自らの土地に住む農奴の労働から得られた純生産物の一部を地代として搾取していました。領主は土地の所有者というだけで、自らは一切働かずに収入を得ることができました。彼らはほうっておいても十分に贅沢《ぜいたく》な暮らしができたので、生産技術の改善には関心がなく、封建時代の経済成長は緩慢《かんまん》でした。

領主はさらに、橋・港・関所の通行にも使用料、すなわちレントを課し、そこから収入を得ました。これら交通の要所は、誰もが使う公共財の性格をもち、経済の発展に必要でした。それにレントを課すことは、社会全体にとって損失であり、封建制のレントは寄生的な利得でした。またこのような特権は、領主の親から子へと世襲されました。領主の子はいかに凡庸《ぼんよう》であっても、生涯裕福な暮らしを保障されました。このような身分の固定は、能力を生かして新しい社会をつくるための進取の精神を萎縮《いしゅく》させました。

封建制度が末期を迎えたころ、単純商品生産から初期資本主義にかけての時代には、確かにアメリカン・ドリームが現実に妥当する可能性はありました。しかし1980年代以降の資本主義は、新自由主義路線を追求した結果、世襲資本主義の段階に達しました。

今日のレントの主流は、プラットフォームやアプリなどデジタル資産の知的所有権から得られる使用料や特許料です。これらの資産所有は莫大な収入をもたらし、その所有権は親から子へと世襲されます。それゆえ近年では、レント資本主義は「デジタル封建制」とも呼ばれます。[※13]これらのデジタル資産は、中世における橋のように公共財の役割をもちますから、その私的独占は社会全体にとってマイナスです。

※12…佐々木隆治「資本主義の最終の発展形態としての『レント資本主義』」を参照。
※13…今野晴貴『賃労働の系譜学』を参照。

また経済的階級の固定化は、諸個人の能力の開花を妨害します。現代の資本主義は成熟段階に至って、身分と階級が固定した封建制へと逆行し、生産力の発展にとって障害となりました。このような資本主義では、アメリカン・ドリームは実現不可能です。

日本でも、第二次世界大戦後から1970年代までは、奨学金の返還免除や学費免除などの平等主義的な政策がある程度とられていたので、貧困な家庭の子でも本人に意思があれば才能を伸ばす余地はあり、機会の平等がある程度は保障されていました。しかし1980年代以降、新自由主義路線がとられ、さらに世襲資本主義の時代に入り、格差は固定化される傾向にあります。

近年、フィンランド社会民主党のサンナ・マリン前首相が「北欧諸国ではアメリカン・ドリームが世界で最も実現しやすい」と発言して注目を集めました。[※14] マリン自身がアメリカン・ドリームの体現者です。幼少時にアルコール中毒の父親と母親が離婚し、貧しい家庭環境にありながら、苦学して行政学修士号を取得します。社民党の青年組織で活動し、市議会議員を経て34歳で史上最年少の首相に選ばれました。

北欧の社会主義政権は、平等主義的な再分配政策をとっています。教育の面では、学校間の格差をなくし、高等教育を無償化することによって、誰もが人生のいつの時期にでも教育を受けられるように機会を与えています。職業教育の面でも、失業者に対して職業訓練の場を多く保障し、転職して新しい仕事につけるようバックアップしています。このような平等主義的政策によって、誰もが自分の能力を開花させる機会を保障されているのです。

工業社会から情報社会へ

イギリスでは18世紀後半の産業革命＝工業革命（industrial revolution）によって資本主義が確立しました。それから20世紀までの工業社会においては、資本主義市場経済が最も適した経済体制でした。そこでは労働投入量を多くして大量生産することが求められました。労働者どうしを競争させ、画一的な労働を長時間強いる日本資本主義は、それに対応していました。

しかし21世紀に本格化する情報社会では、量ではなく質が重要となります。質的変化をもたらすイノベーションを担うのは、画一的人間ではなく、個性的、独創的な人間です。「共同と効率性」の節にて具体的な指標で示したように、このような人間類型を育成して彼らを主体とする経済は、社会主義的な共同の原理に基づいています。

資源に乏しく、人材に頼らざるをえない日本が、このような創造的な社会へと脱皮するためには、資本主義から社会主義への転換が不可欠なのです。北欧諸国はもともと貧しい国々でしたが、社会主義的な実験を積極的におこなうことで、世界で最も幸福度の高い社会へと発展しました。資本主義が成熟して情報社会へ移行しつつある日本であれば、北欧諸国よりもっと容易に社会主義へと転換できるでしょう。

誤解のないようにくり返しますが、私は北欧福祉国家が社会主義のモデルだと主張しているわけ

※14…以下の『ワシントン・ポスト』の記事を参照。〈washingtonpost.com/business/2020/02/03/finland-american-dream/〉

ではありません。今日の北欧諸国にも新自由主義の影響が及んでおり、これらの国が完全無比な理想社会であるとはいえません。そのうえで本章では、共同を尊重する北欧諸国の制度の中に社会主義的要素を見いだしてきました。

社会主義の目標は、人間が社会の中で自己実現すること、すなわち人間性の開花です。これから本格化する情報社会では、自己実現を追求する人間こそが経済活動を支える主体となるのです。ですから、社会主義の経済的な実行可能性はますます大きくなっています。その意味で、社会主義は「ここにある」のです。

SOCIALISM IS EVERYWHERE

第9章

生産の社会化

資本主義における生産の社会化

エンゲルスが自分たちの社会主義を、空想的社会主義と区別して科学的社会主義と呼んだのは、それが「どこにもない」ユートピアではなく、その萌芽が現実に存在するからでした。しかもマルクスとエンゲルスが提唱した社会主義の特徴は、資本主義こそが社会主義の条件をつくりだしているという点にありました。

通常は、資本主義と社会主義は全く逆だと思われています。しかし、実は重要な共通点があります。資本主義はそもそも、封建時代末期に広がった単純商品生産による市場経済から、次のような経路で発展しました。

第一の段階は、職人が自分で調達した原材料や道具でもって、家内において手作業で生産する家内制手工業です。

第二の段階は、問屋《とんや》商人が職人に原材料や道具を貸し付け、家内で生産させる問屋制家内工業です。

第三の段階は、資本家が労働者を工場に集めて手作業で生産させる工場制手工業（マニュファクチュア）です。労働者が同じ場所に集まって共同で生産することを協業といいます。さらに、作業を別々の工程に分割して、個々の労働者が一つの工程に特化することを分業といいます。スミスが『国富論』で描写したピン製造業がこの生産方式にあたります。

そして第四の段階が、資本家が工場に機械を導入し、より多くの労働者を集めて単純作業をさせる機械制大工業です。これによって複雑商品の生産が可能になりました。

家内制手工業から機械制大工業へと移行する中で、資本主義が確立しました。この生産様式の発展過程における特徴は、生産が個人の作業ではなく、集団的におこなわれる協業へと変化してきたことです。陶器とか靴のような単純商品ならば、職人が一人で生産することが可能です。しかし今日私たちが利用する自動車やパソコンのような複雑商品は、多数の直接生産者が共同で作業する協業でなければ生産できません。そしてこのように工場で働くたくさんの労働者を雇用するのが、大量の資金をもった資本家です。つまり資本主義のもとで、協業による生産が本格化したのです。

協業とは、個人ではなくて集団的もしくは社会的に生産することです。生産が個人的ではなく社会的な性格を帯びてきたのです。これを生産の社会化といいます。生産の社会化においては、労働が社会化します。一つの商品をつくる場合でも、誰か一人の労働ではなくて、多くの労働者の共同作業による成果です。また生産手段の使用についても、多くの労働者が協力して使用することによって生産が可能になります。したがって、生産は個人的にではなく社会的におこなわれるようになります。共産主義社会ではもちろん生産は社会的におこなわれますが、資本主義社会の中でもすでに生産の社会化は進行しているのです。

株式会社

会社は資本主義が形成する協業組織であり、社会主義の条件の一つです。日本の大学4年生に「あなたたちは社会人ですか」と聞くと、ほとんどの人がノーと答えます。20歳を過ぎているのにです。では、いつ社会人になるのでしょうか。彼らは会社に就職して、すなわち「会社人」になって初めて社会人になると考えているようです。会社に就職して初めて、集団の秩序の中に組み込まれるからです。

会社というと、私たちはまず株式会社を思い浮かべますが、株式会社以外の会社もあります。すなわち合同会社・合資会社・合名会社などです。これらは経営への支配権をもつか、債務履行《りこう》に対する責任が有限か無限かという点で分類されます。株式会社は株式譲渡自由の原則と、全出資者の有限責任を特徴とします。

企業が個人企業（自営）から株式会社へと発展してきたのはなぜでしょうか。その原因は最低必要資金量の増大です。単純商品をつくる生産であれば、個人経営でも可能です。しかし複雑商品をつくる生産になると、軽工業から重工業へと発展するにつれて、会社を運営するのに必要な資金量は増大していきます。

資本家がいくらお金をもっているといっても、たとえば鉄道会社を運営する資金を個人だけでまかなうことは不可能です。そこで多くの人々から資金を集めるために、いつでも譲渡可能な株式を購入してもらい、しかも会社が債務を抱えても株主たちには責任が及ばない有限責任としました。これが株式会社です。

株式会社は無数の株主から資金を調達し、生産する商品も多数の消費者に購買されますから、その社会的影響力は大きくなります。しかし、資本主義社会では私有財産制が大原則ですから、株式会社が社会に対していかに大きな影響を及ぼそうとも、それは会社の所有者すなわち株主の私的所有物に他なりません。特に、一人の大株主が会社を支配するのに必要な株式を保有していれば、この株主の鶴の一声でどうにでもすることができます。

たとえばX（旧ツイッター）は世界有数のSNSで、一国の政治体制を揺るがすほどの社会的影響力もありますが、現時点では筆頭株主であるイーロン・マスクの一存でその運用方針を変えられますし、そこで働く従業員を大量にレイオフ（一時解雇）することもできます。

株式会社は資本主義における生産の社会化の典型ですが、それは資本家の私的所有物であり、彼らの私的な利潤追求の道具でもあります。一方では生産が社会的におこなわれているのに、その成果は資本家が私的に得ることになります。この事態をエンゲルスは「社会的生産と資本主義的取得とのあいだの矛盾」と呼びました（『マルクス＝エンゲルス全集』第20巻、280ページ）。

資本の集積・集中と独占

18世紀後半にイギリスで起こった産業革命によって機械制大工業が登場すると、それまでの商人資本に代わって、商品を自ら生産する産業資本が中心となる資本主義が始まりました。そこでは、産業資本が価格メカニズムを媒介に自由競争を繰り広げています。これを自由競争に基づく資本主義といいます。

19世紀後半になると、産業の中心は軽工業から重工業に移行し、そのため最低必要資金量が増大しました。欧米で大不況が起こり、その中で巨大な資金を調達できない企業は、その部門から撤退するか他の企業に吸収され、企業が淘汰されていきました。こうして一つの企業が資金力を大きくする資本の集積と、複数の企業が合併を通じて大きくなる資本の集中が進行します。

その結果、少数の大企業が市場を独占し、自由競争を制限するようになります。独占が生じた部門が、社会の再生産にとって基礎的な部門（鉄鋼、電力など）の場合には、資本主義に大きな変容が生じます。これを独占資本主義といいます。

独占資本主義は現代に至るまで続いており、資本主義の基本形態です。つまり、自由競争に基づく資本主義は、資本主義が誕生した初期のみの現象にすぎません。ミクロ経済学が、自由競争が資本主義の基本で、独占がその例外であるように描写しているのは、本末転倒です。市場における自由競争は、放置すれば常に独占をもたらすのであって、独占資本主義は市場経済の典型なのです。

こうした資本の集積・集中を通じた独占の形成は、生産の社会化をいっそう進展させます。独占企業は巨額の資本に基づいて大規模な生産活動をおこない、10万人単位の労働者を雇用します。特に多国籍企業の場合は、世界に展開する工場が、複数にまたがる国々から部品を調達し、それを組み合わせて複雑商品を生産します。

ここで不思議な転倒が起こります。独占企業の内部では、当然のことながら商品交換ではなく、あらかじめ立てられた生産計画に基づいて生産が遂行されます。つまりそこでは市場経済ではなくて、計画経済に基づいた生産がおこなわれているのです。

また流通にたずさわる商業資本でも、コンビニエンスストアはPOS（販売時点情報管理）システムによって商品の需要と供給の調整をおこなっていますし、アマゾンのような通販会社は商品販売に関するビッグデータを駆使して、顧客の需要を正確に読み取り在庫を調整します。つまり需要と供給についても、計画と予測に基づいた調整がすでになされているのです。世界最大のスーパーマーケット・チェーンであるアメリカのウォルマートは、従業員220万人を雇用し、その売上高は70兆円を超え、一国のGDPと比較すると27位のノルウェーに匹敵します。つまり、一つの企業が国家に相当する経済規模を計画的に運営しているのです。※1

独占資本主義経済においては、企業内部で計画経済が実行されます。ウォルマートの経済規模は国家に匹敵しますが、この企業を支配するのは大株主であるウォルトン家であり、彼らは莫大な利益を得て毎年の世界長者番付に名を連ねています。こうして、生産の社会的性格と取得の私的性格との間の矛盾はいっそう大きくなります。

社会資本

今日では、生産の社会化は社会資本を必要とする段階に達しています。社会資本とは「エネルギー、水、交通・通信、共同住宅、医療、福祉、教育、文化など、現代社会の人間の生存・生活の基本的人権を維持するために不可欠な施設・サービス」です（森裕之ほか編『現代社会資本論』1ページ）。社会資本は私たちの生活に不可欠な共同社会的条件であり、今日その重要性はますます大きくなっています。

社会資本の概念は、第8章でふれた社会関係資本とは区別されます。後者は人間どうしの関係を表す概念です。英語では社会資本をsocial overhead capital、社会関係資本をsocial capitalと呼ぶので注意が必要です。

社会資本論の第一人者である宮本憲一は『社会資本論』で、社会資本を生産用電力、道路、工場用地、工場用水、ダムなどの社会的生産手段と、生活用電力、街路、共同住宅、生活環境（公園、緑地）、教育施設、医療施設、福祉施設などの社会的消費手段に分類しました。

宮本は社会資本を素材面と体制面から捉えます。社会資本を素材面から捉えると、それはあらゆる時代を通じて人間社会に存在する共同のための条件です。体制面から捉えると、社会資本は資本主義と社会主義では異なる形態をとります。

資本主義は、社会的消費手段よりも社会的生産手段の建設を優先します。特に高度成長期の日本

※1…Leigh Phillips and Michal Rozworski, *People's Republic of Walmart*を参照。

は、道路・港湾・工場用地のような企業のための社会資本整備に偏向し、公共投資が国民総生産に占める比率が大きかったので、「土建国家」と揶揄《やゆ》されました。※2

日本の資本主義で社会資本の問題が浮き彫りになったのは、高度成長期に深刻化した公害問題です。私たち共通の財産である社会資本が、資本の利潤追求のために私的に利用された結果、生活環境が破壊されてしまいました。

資本主義社会では、特に社会的生産手段について、個別の企業では十分に供給できない場合は国家にそれらの供給を委ねます。しかし個別の企業が供給できる状況になれば、利潤追求を目的とする私的資本にそれらを委ねます。たとえば明治時代には官営として創設された鉱山や造船所が、特権的政商にきわめて安い価格で払い下げられました。特に先進諸国では1980年代以降の新自由主義政策によって、ＰＰＰ（Public Private Partnership：官民連携事業）やＰＦＩ（Private Finance Initiative：民間資金等活用事業）のような社会資本の民営化が進行しました。今や、水道や刑務所すら民営化されつつある時代です。

現代の社会資本は、発達した科学技術に基づいています。これを私的な利潤追求のために用いるのではなく、公共目的のために民主的に制御しなければなりません。社会資本が私たちの生活にとって不可欠な共同社会的条件であるとすれば、その民主的制御を推進する社会主義の必要性はますます増えるでしょう。

公的部門

学生が就職活動をするときに、大きく分けて二つの進路があります。会社員か公務員かです。会社員は会社のような民間部門に勤めるのに対し、公務員は政府や地方自治体などの公的部門に勤めます。公的部門は社会資本を供給するだけでなく、国民経済の根幹をなす産業をも担います。現在の日本では、公的部門の雇用者が全体に占める割合は、第8章で見たようにOECD諸国で最低水準です。この比率はかつてもっと高い水準にありました。

日本の政府はかつて重要産業を国有化し、三公社五現業を設置していました。三公社とは日本国有鉄道・日本専売公社・日本電信電話公社、五現業とは郵政・印刷・造幣《ぞうへい》・アルコール専売・国有林野事業を指します。その他に、日本住宅公団は戦後の住宅不足の中で都市近郊に団地型の住宅を大量に建設し、労働者の住居環境の改善に寄与しました。国立病院は各都道府県に配置され、地域医療に大きく貢献してきました。地方自治体では公立の小中学校、水道事業、鉄道・バス事業があります。

これらの公的部門は非営利で運営されます。資本主義の原理が利潤追求、すなわち営利であるのに対し、公的部門は非営利で運営されますから、この点で社会主義の要素をもっています。今でも、子どもたちの多くは公立の小中学校に通っていますし、みなさんは公的に運営される水道事業を利用しているでしょう。私たちの生活の身近なところでも、社会主義の原理は機能しているのです。

※2… 森裕之ほか編『現代社会資本論』2ページを参照。

しかし１９８０年代以降の新自由主義政権のもとで、これらの公的部門は大幅に民営化されました。日本でも国家が管轄する部門のほとんどが、１９９０年代後半の橋本龍太郎内閣の行政改革により独立行政法人化されました。独立行政法人は企業会計原則によって厳しく評価されます。その結果、日本は先進資本主義国の中でも公的部門の割合が最も低い国になってしまいました。

こうした新自由主義路線が続けば、独立行政法人化された国立大学、国立病院などは、次第に民営化や廃止となります。また現在では公営が基本となっている小中学校も、今後はイギリスのように公設民営化され、予備校や塾産業によって運営されることになります。そうなれば日本は、貧しい者は医療も教育も受けられない、アメリカ型資本主義の社会になるでしょう。公的部門に関する日本の課題は、まず１９８０年代以降に民営化された事業を再び公営に戻すことです。第11章でふれるように、実際に欧米などでは一度民営化された公共インフラを再公営化し、住民の利益に沿った運営の権利を取り戻す動きが生まれています。

ただし、民営化された事業を、単に旧来のような国有企業に戻すだけでは不十分です。資本主義社会では資本家階級が権力を握っています。彼らは独占企業のみならず国有企業をも支配します。資本主義のもとでの国有企業は、国から天下りした官僚資本家がトップダウンで運営する方式で、そこでは現場の労働者の意思はほとんど反映されませんでした。[※3]

社会主義の観点からすれば、生産手段の社会的所有とは、現場の労働者やその事業に影響を受けるステークホルダー全員が、その運営に民主的に関わることを指します。旧来の国有企業に民主的な性格が欠如していたのは、それが資本主義的な企業であったからです。ですから、これからの再公営化においては、労働者・市民が経営に参画できるような仕組みを取り入れる必要があります。

経済計画

高校の政治経済の教科書には、資本主義は市場経済であるのに対して、社会主義は計画経済であると対比されています。この記述からは、計画経済は私たちにとっては全く縁のない経済体制であるという印象を受けます。しかし計画経済は、私たちの社会にとって身近な存在です。

今では家計簿をつける家庭は少ないでしょうが、私たちは消費生活において、予算の制約の中で何を消費しどれだけ貯蓄するか、住宅ローンや教育ローンの返済にどれだけあてるかを計画しているはずです。

歴史的に見てみましょう。第6章で、人類は誕生以来、原始共産主義のもとで生活してきたと述べました。この時代においても、それぞれの共同体は生産活動において、一年のうちに何をどれだけつくるか、今年の生産物のうちどれだけを消費し、どれだけを来年に使用する生産財としてとっておくか、誰がどの作業に当たるか、生産物をどのように分配するかという計画を立てて活動していたはずです。紙に記述した計画はなかったでしょうが、およその計画は立てていたでしょう。

今日の生産の基本組織は工場や会社ですが、その内部でも、計画に基づいた投資や生産活動がお

※3…佐中忠司『国家資本論』を参照。

こなわれています。各企業は短期・中期・長期の経営計画を作成し、それに基づいて事業を進めます。現代の独占化した大企業は、巨額の資本を用いて何十万人という労働者を雇用し、一つの組織として計画的に生産活動をおこないます。ジョン・ケネス・ガルブレイスは、大企業が資本主義市場経済を計画的に制御する状況を「計画化体制」と呼びました（『新しい産業国家』）。

一国全体のマクロ経済についてはどうでしょうか。ソ連の五カ年計画が有名ですが、日本でも計画経済が実施されています。1955年に設置された経済企画庁を中心に、池田勇人内閣の国民所得倍増計画など、数々の「五カ年計画」が実行されてきました。経済企画庁の英訳はEconomic Planning Agencyで、経済計画庁とも訳せます。現在では経済企画庁は廃止され、「計画」という言葉は使われませんが、今日でも政府は「まち・ひと・しごと創生総合戦略」のような計画を作成しています。

もちろん、市場経済が廃止された共産主義社会における体制次元の計画経済と、市場経済を基礎とした資本主義体制における政策次元の経済計画は大きく異なります。しかし、二分法的思考をとらない本書の観点からすると、計画経済であれ経済計画であれ、市場経済を自由放任にせずに、その機能を制御しようという方向性では同一です。

修正資本主義を推奨したジョン・メイナード・ケインズは、投資の社会化を目的とする「公共投資庁」の創設を提案しました。彼は、資本主義経済を自由放任のままにしておけば恐慌と失業は不可避であるとして、資本主義に経済計画を全般的に導入することを訴えたのです。※4 ケインズは資本主義から社会主義への移行には反対しましたから、その点では彼による経済計画の推進は非社会主義的でしたが、資本主義の不安定性を計画によって緩和しようとする方向性は社会主義的でした。

今日の資本主義経済には、貧富の格差の拡大、金融恐慌の再発、環境問題の深刻化といった事態に対処するために、今まで以上に経済計画が必要となっています。たとえば地球温暖化問題については、二酸化炭素の排出量削減について計画的に取り組むことが求められています。新自由主義政策をとってきた日本政府でさえ、「地球温暖化対策計画」を作成しています。※5

現代の複雑で巨大な経済が、社会と自然にもたらす影響は絶大です。これまで資本主義経済の中に計画の要素が取り込まれてきましたが、この間の新自由主義の影響で後退し、それによって資本主義の矛盾がいっそう拡大してきました。混迷をきわめる今日の経済社会の中に、再び計画経済の要素を拡大することが求められています。

資本主義における生産の社会化の限界

資本主義社会においては、資本家の利潤追求に沿った形で生産の社会化が進みます。しかし利潤追求と生産の社会化が対立する場合には、資本家は利潤追求を優先するため、生産の社会化が後退する場合もあります。

第一に、多数の労働者が協業によって生産活動をおこなう株式会社は、資本主義における生産の

※4…遠山嘉博『イギリス産業国有化論』を参照。
※5…W. P. Cockshott et al., *Economic Planning in an Age of Climate Crisis* は、気候変動に対処するためには経済計画が必要であることを主張しています。

社会化の典型です。しかし資本主義経済では、資本家による労働者からの搾取と、生産と消費の不均衡により、恐慌を含む景気循環が避けられません。会社は景気のよいときには多数の労働者を雇用しますが、不景気になると利潤を確保するために一部の労働者を解雇します。さらに、グローバル化によって海外で安価な労働力が得られたり、技術革新によってロボットやＡＩの導入が進むと、より多くの労働者を解雇します。これによって生産の社会化は後退します。

第二に、資本主義における資本間の自由競争は、やがて資本の集積・集中を通じて少数の巨大な独占企業を生み出します。これも資本主義に応じた生産の社会化の現れです。独占企業は通常よりも高い独占価格を設定してより多くの利潤を確保しますので、消費者の利益が損なわれるだけでなく、社会全体としての利益も減退します。そこで政府は、自由競争を維持するために独占禁止法によって独占の形成を防止したり、すでに形成された独占を解体します。

この政策は、独占による弊害を除去するという点では改善ですが、競争促進は企業による労働者への搾取を助長することになりますし、独占によってもたらされた生産の社会化を後退させることになります。ここには、社会全体の利益を増進させる課題に「競争対独占」という枠組みでしか対応できない資本主義の難点があります。

第三に、資本主義のもとでは、巨大な資金が必要なために、個別の企業が調達できない社会資本を公的部門が肩代わりします。しかし生産力の進展によって、個別の企業でも調達が可能になると、それらを民営化して新たな利潤獲得の手段とします。これによって、それらの事業の公共性が減退します。特に、教育や福祉のような国民生活に欠かせない部門の民営化は、それらのサービスの低下につながります。

また、かつての国鉄のような国有企業を分割することは、やはり生産の社会化からの後退です。国鉄の分社化によって、国の鉄道網が国民全体の生活に役立つという総合的観点から運営されなくなりました。その結果、地方の赤字路線が次々と廃止され、大都市への人口集中と地方の過疎化に拍車がかかりました。[※6]

このように、資本主義のもとでは、生産の社会化は常に一方的に進展するわけではなく、資本の利潤追求目的に対立する場合には後退することがあります。生産の社会化そのものは、生産力の発展に応じた現象であり、私たちの生活を豊かにしてくれます。資本主義における生産の社会化は、ある段階以上には進展しないという限界をもっています。その根本原因は、生産の社会的性格と資本主義的な取得の矛盾にあります。この矛盾を克服するためには、社会主義のもとで生産を社会化させるほか道はありません。

※6…第11章で取り上げるように、今日では地方分散型の小規模な非営利団体が生まれつつあります。生産の社会化という観点は、このような小規模な非営利団体の出現を否定するものではありません。ただしこの観点からすれば、その団体が自らの狭い利害の枠組みを超えて他の同様な団体と連帯することが望まれます。

SOCIALISM IS EVERYWHERE

第10章

社会民主主義

生産の社会化と社会民主主義

資本主義社会において生産の社会化は、利潤追求という目的に応じながら進行します。それとともに労働者・市民による階級闘争の結果として、彼らの労働・生活条件を改善する一定の改革が、資本主義の枠内で実現します。

社会主義者の間で問題になるのは、資本主義社会の中で実現された改良が、生産の社会化による自然な帰結なのか、それとも階級闘争によって獲得された成果なのかという点です。

この点に関して日本で最も有名なのは、第二次世界大戦後の「社会政策本質論争」です。戦前から戦中にかけて、経済学者の大河内一男は、社会政策の本質は資本主義を発展させるための「国家による労働力の保全である」という学説を唱えました（『社会政策の基本問題』）。戦後、大河内説に対して、階級闘争の意義を重視するマルクス経済学者たちは、これを「生産力説」として批判し、論争が繰り広げられました。資本家階級は自発的に労働者階級の待遇を改善してくれる、だから労働者階級による闘争は不要である——生産力説はこのような結論をもたらすと、批判者たちは懸念しました。資本主義の枠内における民主主義的な改良が、生産力の社会化の帰結なのか、労働者・市民による社会主義運動の成果なのかは、個々の事例に立ち入って綿密に検討する他ありません。

たとえば資本主義の発祥地であるイギリスでは、労働者の児童が過酷な労働を強制される状況において、人道主義者や社会主義者が工場法などの立法を通じて、児童への義務教育を長年にわたって要求しました。義務教育はそうした運動の結果得られた、まさに階級闘争の成果でした。

しかし、資本主義の後進国である日本では事情が異なります。日本では1872年の学制によって義務教育が制度化されました。明治政府が殖産興業・富国強兵を国策とする中、体系的な知識と規律化された身体を備えた労働力の養成が必要でした。そこで政府は、人口の大多数を占めていた農民の激しい抵抗を弾圧して学制を強行したのです。質の高い労働力が大量に供給されることは、生産活動がより多くの労働によって遂行されることにつながるので、生産の社会化を促進します。学制実施は資本の要請に基づく生産の社会化といえるでしょう。

さて、社会民主主義については、第2章でも少し言及しました。社会民主主義とは、資本主義社会の中で労働・生活条件の改善を図る運動です。ここでの文脈に即していえば、生産の社会化が、資本主義社会の中では資本家の利潤追求に合致するかぎりで進展する現象であるのに対して、社会民主主義による改良は、労働者の主体的運動によって実現した成果です。

第9章の最後で述べたように、資本主義における生産の社会化は、資本家の利潤追求に背反しない範囲に限定されます。この限界を突破するためには、労働者・市民が自らの福利を向上させる運動が必要です。資本家が主導する株式会社の形成は、資本主義的な生産の社会化の典型であり、労働者の運動とは無関係なように見えます。しかし資本家は、自らの会社が他社との競争に敗れたり、景気が悪化したりすると、労働者を解雇し、企業としての規模を縮小します。これは生産の社会化に逆行する事態です。これに対して労働者は、解雇反対闘争などを通じて資本家の縮小策に対抗します。これは労働者による労働・生活条件改善の闘争であり、しかも生産の社会化にも寄与しています。

ですから、資本主義社会における改良が、生産の社会化と社会民主主義のいずれによるかは、一概に確定できないのです。本書では章立てとして、生産の社会化と社会民主主義を便宜的に分けましたが、両者の相違は絶対ではありません。この点をふまえたうえで、社会民主主義による具体的な改良の成果を見ていきましょう。

産業民主主義

社会民主主義は、民主主義の観点から捉えれば、資本主義の中で民主主義をできるかぎり拡大しようとする運動であるということができます。そこで、資本主義と民主主義の関係を考えておきましょう。

「資本主義は社会主義と違って民主主義を尊重する」という議論をしばしば見かけます。本当に資本主義は、民主主義を尊重するのでしょうか。

民主主義（democracy）とは人民（demos）の支配であり、人民に関する決定はその人民がなす、という原理です。これに従えば、資本主義の基本組織である会社に関する事項は、そこで働く労働者を含む全構成員が決定することが民主主義です。しかし会社は資本家の私的所有物であり、労働者には人事・賃金・待遇条件についての決定権はありません。会社は株主・経営者からなる資本家によって上意下達的に支配されています。よって会社には民主主義は存在しません。

確かに政治の領域では、実質的には資本家がお金にものをいわせる金権選挙が横行しているとしても、形式的には国民としての労働者は、選挙を通じて自分の意思を政治に反映することができます。しかし彼らの政治参加は一年に一回あるかないかの選挙の機会に限定されます。[※1]ジャン－ジャック・ルソーは代議制民主主義を次のように揶揄しています。イギリス人民が「自由なのは、議員を選挙する間だけのことで、議員が選ばれるやいなや、イギリス人民はドレイとなり、無に帰してしまう」（『社会契約論』133ページ）。

労働者は一日の少なくとも3分の1は、職場である会社の中で過ごします。ところが、そこには民主主義はありません。したがって、資本主義のほうが民主主義を実現しやすいという議論には説得力がありません。

株式会社は資本家の私的所有物です。資本家はオーナーとして会社を専制的に支配しますから、そこに民主主義を導入する動機はありません。そこで、資本主義の枠内で労働者の参加を通じて民主主義を実現しようとするのが、産業民主主義です。[※2]産業民主主義という言葉は、フェビアン協会に所属するイギリスのシドニー・ウェッブとベアトリス・ウェッブの夫妻が、1897年に『産業民主制論』を著《あらわ》してから普及しました。フェビアン協会は、社会改良を漸進《ぜんしん》させて土地・資本の公有化をめざす社会主義団体で、今日に至るまでイギリス労働党の理論的支柱です。

産業民主主義には、経営参加、成果参加、所有参加の形態があります。※3 第一の経営参加は、企業経営に労働者が参加することです。経営参加は労使協議制、労働者重役制、職場参加に分かれます。

労使協議制では、労働者と資本家の代表が、法律・協約で定められた事項について協議します。1920年にドイツではワイマール憲法に基づいて、労働者が経営協議会を通じて経営に参加することが、世界で初めて法制化されました。

労使協議制のより進んだ方式が労働者重役制で、労働者代表が重役として、株主から選出された重役とともに経営機関に参加する制度です。西ドイツでは1951年に石炭・鉄鋼業において、最高意思決定機関である監査役会の構成を労使同数とする共同決定法が制定され、さらに1976年には従業員2000人以上の私企業にも労使同数方式を適用する拡大共同決定法が制定されました。※4

職場参加とは、労働者が職場の業務や運営についての決定に、個人的・集団的に参加することです。具体的にはZD（無欠点）運動やQC（品質管理）サークルなどの小集団活動、「労働の人間化」運動、

※1…選挙以外に署名や請願など日常的な政治参加の手段は確かにありますが、ここで述べたことの本質は変わりません。
※2…ドイツでは産業民主主義と類似の概念を経済民主主義と呼びます。経済民主主義は国民経済次元と個別企業次元に分けられます。本章で扱う産業民主主義は個別企業次元に限定します。
※3…大橋昭一ほか『経営参加の思想』を参照。
※4…1976年の拡大共同決定法はその後、新自由主義派から批判の標的となりましたが、最近ではコーポレート・ガバナンスの民主的改革に果たす役割が認められています。風間信隆「ドイツ企業における監査役会と共同決定」を参照。

ＱＷＬ（労働生活の質向上）運動が挙げられます。「労働の人間化」運動の実例としては、１９７４年にスウェーデンで自動車組立工場からベルトコンベアをなくしたボルボ・システムが挙げられます。

第二の成果参加は、利潤分配制を指します。それは企業活動によって得られた利潤のうち、あらかじめ決められた比率を労働者に還元する制度です。企業の生産する付加価値は、売上から生産財価格を引いた部分です。この付加価値は株主への配当、役員報酬、内部留保からなる利潤と、労働者に分配される賃金に分かれます。利潤は売上マイナス費用であり、資本家は人件費を含む総費用を削減することによって利潤を増やそうとします。一方、労働者にとっては賃金が高いほど望ましいことはいうまでもありません。

付加価値が一定の場合は、利潤と賃金は対抗関係にあり、労使が協力する余地は小さくなります。しかし付加価値が増大する場合は、資本家は利潤のうちあらかじめ決めておいた比率を労働者に還元することによって、労働者の協力を得ることができます。ですから利潤分配制は、企業が成長期にある場合に有効な制度です。

第三の所有参加は、労働者による資本所有です。その典型はアメリカで発展した従業員持株制度（ＥＳＯＰ：Employee Stock Ownership Plan）で、従業員組合がつくった基金に企業が自社株を譲渡し、従業員所有企業とします。この制度は法律家・経済学者であるルイス・ケルソが１９５０年代に考案し、70年代に実施されました。

彼は『共産党宣言』を彷彿《ほうふつ》とさせる『資本主義宣言』という著書で、国家が資本を独占するソ連型体制に反対しつつ、私有財産と市場経済のもとで産業民主主義を推進するために、資本所有の分散化が必要だと訴えます。この目的を達成するために彼が提案したのがＥＳＯＰです。[※5] このようにＥＳＯＰの形成には、そもそも社会主義的な動機が絡《から》んでいました。

このような産業民主主義については、これまで社会主義派から懐疑論が提出されてきました。この議論によれば産業民主主義は、資本家が労働者にわずかな施《ほどこ》しを与えることによって彼らの協力を得ようとする、労使協調主義の別名にすぎません。確かに資本家側には、産業民主主義を通じて労働者を企業の収益拡大に協力させようという意図があります。労働者が資本家の指揮に従わず反発ばかりしているような状況では、生産性の向上は不可能です。だとすれば資本家としては、労働者に多少なりとも譲歩することによって、彼らを取り込むほうが得策です。

しかし上述のように、産業民主主義の形成には、経営参加・成果参加・所有参加のいずれについても社会主義的な動機が関わっていました。たとえばスウェーデンでは１９７０年代、労使共同決定制や労働者重役制が推進され、さらに80年代に社会民主労働党政権は、労働者による企業資本の直接的なコントロールをめざした労働者基金制度を実施しました。それは資本参加を、個別企業ではなく社会全体で、しかも労働者への分配にとどまらず投資決定にまで拡大しようとした点で、社会主義にかなり接近した内容でした。

この制度は成立の過程で資本家経営権への制限が弱められ、１９９１年に社会民主労働党が政権を失うと廃止されました。とはいえ、近年でもサンダースがアメリカにおける労働者基金制度の創設

※5…本山美彦『ＥＳＯＰ』を参照。

を訴えていたことから推察できるように、[※6]資本主義国において経済の民主化を推進するうえで有力な方法です。

また、資本主義内での産業民主主義の実践は、ソ連型体制の経験からしても重要です。レーニンらソ連指導部は「管制高地」すなわち重要産業を国有化して国家が集権的に管理することが、社会主義革命の中心目標だと信じ込んでいました(『レーニン全集』第36巻、691ページ)。しかし国有企業の幹部に国家官僚を配置しても、現場の労働者が経営から排除されていたのでは、結局は官僚が資本家の位置につく国家資本主義をもたらすだけです。

社会主義者が追求する生産手段の社会的所有は、企業を国有化するだけでは全く不十分であり、職場の労働者による参加をふまえて、成果の分配から生産計画に至るまで経営を民主化することによって初めて可能です。そのためには、資本主義の枠内で産業民主主義を最大限に実現することが必要条件となります。

日本の産業民主主義

日本において、産業民主主義を社会主義につなげることはできるでしょうか。経営参加については、日本では労働者重役制はほとんど見当たりませんが、労使協議制は存在します。日本の労使協議制は、戦後すぐは経営参加の要素が大きかったものの、1955年に発足した日本生産性本部が労使協議制の目的を「パイの生産・増大」としてからは、労使協調の色彩が強くなりました。この制度では多くの場合、労働条件は協議決定の対象ですが、経営・生産・人事に関する事項は報告説明のみです。[※7]職場参加の面では、QCサークルなど業務改善の面では労働者の参加意識が強いという特徴があります。しかし現状では、労働者の努力が企業業績の増進に向けられ、労働者の賃金・待遇改善に向けられないという弱点があります。

成果参加については、ボーナス制度が利潤分配制に該当するといわれています。日本のボーナスは企業の業績に応じて変動します。この制度は労働者の勤労意欲を刺激し、企業への帰属意識を高めるために利用されています。[※8]

所有参加については、日本では従業員持株会という制度が、8割以上の上場企業で取り入れられています。[※9]この制度は従業員が自己資金で自社株を購入するので、企業が自社株を従業員に譲渡するアメリカのESOPとは異なります。しかし最近、これを基礎にして日本版のESOPをつくりだそうという動きがあります。

現時点では、日本の産業民主主義は全体として労使協調の色合いが強く、企業の利潤追求の手段となっています。労使協議制は、労働者が企業運営に関与したことをもって、彼らにも責任を押しつ

※6…バーモント従業員所有センターによる次の記事を参照。〈veoc.org/node/68〉
※7…大橋昭一ほか『経営参加の思想』133～135ページを参照。
※8…大野秀夫「成果分配と勤労者の資本所有」を参照。
※9…東京証券取引所「2020年度従業員持株会状況調査結果の概要について」〈www.jpx.co.jp/markets/statistics-equities/examination/tvdivq000001xhe-att/employee_2020.pdf〉

けます。小集団活動などの職場参加は、労働者の意欲を過剰に駆り立て、長時間労働や過労死などの原因となっています。ボーナス制度や従業員持株会は、企業と労働者の利益が一体であるとの幻想を与えます。ですから、現存の産業民主主義的な制度を固定化しようとするならば、それはとうてい社会主義とはいえません。

しかし、だからといって現存の産業民主主義的な制度が、資本主義の延命に手を貸しているだけで全く無意味であるという結論にはなりません。労働者による経営・成果・所有の面での参加を民主主義的に実質化することができれば、それは社会主義につながる運動となります。また、社会主義を単なる国有化にとどめずに、職場の労働者による参加と結合するためには、産業民主主義の発展が不可欠です。

日本企業における労使協議制などの制度的特質を、労働者の参加民主主義を保障する方向に転換することができれば、それは社会主義への一歩を踏み出したことになります。ですから日本の会社にも、社会主義へと向かう糸口は身近に存在しているのです。

労働組合

19世紀初めのイギリスでは、産業革命を経て工場で大量の労働者を雇用するようになると、劣悪な労働条件が深刻化しました。当初、労働者たちは機械の導入に原因があると考えて、ラッダイト（機械打ち壊し）運動によって抗議しましたが、次第に問題は資本家の姿勢にあることを悟り、団結して資本家に賃上げや待遇改善などを求めました。

当時の政府は、こうした労働者たちの団体行動を敵視して法律で禁止しましたが、社会主義者オーウェンらが労働者保護の運動を推進した結果、1833年には工場法が制定され、児童労働の制限や工場監督官の設置を義務づけました。さらに1848年にマルクスとエンゲルスが『共産党宣言』を発表すると、労働運動は理論的な根拠を確立します。

そうした流れの中で、1871年の労働組合法は労働組合を合法化し、労働者のストライキ権も認めました。以後、先進資本主義国はいずれも、労働者が組合によって団結する権利を法的に承認しています。

日本国憲法第28条には、労働者が労働組合を結成する権利（団結権）、労働者が使用者（会社）と団体交渉する権利（団体交渉権）、労働者が要求実現のために団体で行動する権利（団体行動権）が明記されています。これによって、社会主義者たちが推進してきた労働者の団結権は、私たちの職場において当然の権利として認められているのです。

労働者が自らの労働条件を改善するために団結する理由については、すでに第8章で述べました。社会主義にとって重要な論点なので、おさらいしておきます。

資本家の目的は利潤追求であり、利潤の本質は労働者から搾取した剰余価値です。そこで、労働者がより多くの剰余価値を生産するよう、資本家は労働者を分断して統治し、相互に競争させます。資本家は「競争に参加して一生懸命がんばれば、その分だけ給料が上がる」と労働者を焚《た》きつけます。確かに一時的には、がんばった人はその分だけ報酬を得られます。

しかし競争によって他の人々も同様にがんばるので、それが当たり前となってしまい、その労働量を基準にして賃金率が設定されます。その結果、労働者は以前よりたくさん働いたにもかかわらず、もらえる賃金総額は変わりません。一方で、労働の増加によって付加価値も増大していますから、結果的に増えたのは資本家の利潤です。労働者どうしの競争は資本家の利潤を増やすためであり、労働者の支出する剰余労働を増やすだけです。このように資本家は労働者どうしを競争させようと画策します。それをはねのけて、労働者どうしが団結して資本家に対抗するのが、労働組合です。

社会主義をテーマとする本書にとって、労働組合の意義は、労働者が団結して資本家に対抗する組織である点にとどまりません。もし労働者たちが、自分たちの職場を自らの意思で民主的に運営しようとするならば、労働組合に結集する労働者自身が出資者となって自ら事業を立ち上げればよいのです。これが労働者協同組合です。

今日存在する労働者協同組合は、もちろん資本主義経済のもとでの活動を前提としています。しかし生産手段の社会的所有が社会全体で実施され、共産主義社会が実現したとしても、労働者協同組合は労働者が職場を民主的に運営する際の基本組織として存続し、重要な役割を果たします。

労働組合と社会主義

ここで重要なことは、労働組合はそもそも社会主義の原理に基づいていることです。上述のように労働組合の本義は、労働者が「団結する」ことです。資本主義は自由な個人による競争を原理とします。それに対して社会主義は、自由な個人による団結を追求します。組合、団結、連帯は、いずれも社会主義の共同原理の延長線上にあります。

ただし、労働組合を担う労働者のすべてが社会主義者であるわけではありません。しかも労働組合がむしろ資本主義を推進する場合もあります。

その第一は、第二組合の場合です。資本家は、絶えず労働者を団結させずに分断しようと画策します。もし既存の組合が資本家に対して反抗的な場合は、資本家は一部の労働者たちを集めて第二組合をつくらせ、彼らを優遇します。この第二組合はいわば御用組合で、既存の組合を攻撃する役割を果たします。

第二に、組合全体が資本家の意向に沿った路線をとる場合があります。アメリカでは1935年のワグナー法によって、労働者の団結権が法的に承認されました。しかし第二次世界大戦後、労働運動が活発化すると、1947年のタフト−ハートトレー法は組合役員に共産主義者でないことを宣誓させ、さらに1950年代のマッカーシー旋風の中で社会主義的要素が払拭されていきました。これは日本の労働組合にもレッド・パージの形で影響しています。

こうして社会主義者を追放してできた労働組合は、資本主義が発展すれば資本家だけでなく労働者も豊かになるという論理に立脚し、社会主義を敵視して、資本主義の発展を助長する役割を果たします。このような立場を労働組合主義（トレード・ユニオニズム）といいます。※10 それによれば、労働組合の使命は、資本主義を廃止して労働者が協力して生産活動をおこなえるような社会を構築することではなくて、資本主義を前提にして、その枠内で賃金上昇や待遇改善などを追求していくこととなります。

この論理は、先進国が高度成長を享受していた時期にはある程度の説得力がありました。なぜなら付加価値全体が増えるので、利潤と賃金の両方が増大する状況がありえたからです。しかし資本主義がゼロ成長に入った今日では、こうした論理は通用しません。付加価値一定のもとでは、利潤の増大は賃金の減少を意味します。ですから、資本主義が発展すれば労働者も豊かになるという論理は通用しないのです。

アメリカの反共主義の影響が強い日本でも、労働組合運動の主流は資本主義推進型でした。日本の労働組合が産業別ではなくて企業別であることも、資本主義推進型になった大きな要因です。会社の発展が労働者の福利向上と結びつけられることによって、労働組合がいっそう資本主義を推進する役割を担わされることになります。労働組合の幹部を経験した人物が、会社の中で出世していくという実例が、日本の企業では多く見受けられます。

企業別組合は終身雇用、年功賃金と組み合わせて日本的経営の三種の神器と呼ばれました。しかし、企業と労働組合が一体化するこうした状況は、政治的に操作されたもので、決して本来の姿ではありません。労働組合が労働者の利益を代表する組織である以上、労働者たちが自らにとって真の利益は何かを自覚すれば、それは資本主義を乗り越えて社会主義を指向するでしょう。

近年、アメリカでは「社会運動ユニオニズム」という新しい労働運動の潮流が台頭しています。[※11] この運動は、移民労働者やサービス部門の低賃金労働者を組織化し、地域の社会運動や国際連帯に積極的に取り組んでいます。2011年の「ウォール街を占拠せよ」運動、2016年と2020年の民主党大統領予備選挙における「サンダース現象」、近年の「15ドルのための闘い」の背景には、社会運動ユニオニズムの勃興《ぼっこう》があります。

社会運動ユニオニズムは、現時点では資本主義そのものを組上《そじょう》に載せているわけではありませんが、そのラディカルなスタンスからして今後、社会主義運動と結びつく可能性は大いにあります。

協同組合

労働組合の他に「組合」の語がつく、よく耳にする言葉に協同組合があります。生活協同組合、農業協同組合、漁業協同組合、そして労働者協同組合があります。

みなさんに一番おなじみの協同組合は、食品を中心とした宅配サービスを展開する生活協同組合(生協)でしょう。2020年時点で、全国世帯の約3分の1が生協に加入しており、生協は私たちの生活に深く根づいています。

このような協同組合は、イギリスで社会主義運動の中から生まれてきました。協同組合の基礎を築いたのは、イギリス社会主義の父といわれるロバート・オーウェンです。

※10…労働組合主義をサンディカリスム(syndicalisme)の邦訳と解すると、全く違う意味になります。これは社会主義を実現する方法について、国家権力を奪取することではなく、労働組合を強化・発展させることによるべきだとする考え方です。これは広い意味で社会主義に属します。
※11…山田信行『社会運動ユニオニズム』を参照。

彼はニュー・ラナークに設立した綿紡績《めんぼうせき》工場で労働者の福利向上に努め、近隣の商店で品物を一括購入して、労働者が安価で購入できる仕組みをつくりました。この経験を基礎にして、労働者が共同で生産・消費を運営する協同組合を設立しようとしました。生産については、資金力のある資本家企業との競争にさらされ途中で挫折《ざせつ》しましたが、消費については生活協同組合として今日まで存続しています。

次によく聞く協同組合は、農協や漁協でしょう。日本では、農業・漁業従事者の多くが自営業です。それゆえ、個人では資金がまかなえない高価な機械・設備の購入や製品の販売を共同でおこなったり、相互に資金を融通しあう組織があると便利です。このために設立されたのが農協や漁協です。協同組合の金融版が、信用組合や信用金庫です。

マルクスは、協同組合と社会主義の関係をどのように捉えていたでしょうか。彼は将来社会を「生産手段の共有を土台とする協同組合的社会」として構想していました（『マルクス＝エンゲルス全集』第19巻、19ページ）。しばしばマルクスの社会主義を、国家が経済を支配する社会と理解している人がいますが、それは間違いです。彼がいう生産手段の社会的所有とは、労働者自身が工場や企業などの生産手段を自ら民主的に運営することを指しています。ですから、共産主義社会の生産における基本組織は、労働者による生産協同組合をはじめとする様々な協同組合なのです。

しかし、マルクスは協同組合と社会主義の関係について、次のように指摘しています。

「協同組合制度が、個々の賃金奴隷の個人的な努力によってつくりだせる程度の零細な形態に限られるかぎり、それは資本主義社会を改造することはけっしてできないであろう。社会的生産を自由な協同組合労働の巨大な、調和ある一体系に転化するためには、全般的な社会的変化、社会の全般的条件の変化が必要である」（『マルクス＝エンゲルス全集』第16巻、194ページ）。

個々の協同組合が、資本主義社会の中で自らの存続を優先して、資本主義社会の廃棄と共産主義社会への移行を拒絶するのであれば、協同組合は社会主義に背を向けることになると、マルクスは注意しています。※12

オーウェンは資本主義社会の外側に、協同組合を基礎にした共産主義社会を築こうとしました。これに対してマルクスは、資本主義社会の基本組織である会社を労働者の運営する協同組合に変更し、これを基礎にして共産主義社会を築こうとしました。マルクスは、個別の協同組合が存続するだけでは共産主義社会の形成につながらないと考えたのです。

資本主義社会の中で、様々な協同組合を形成し発展させることは、社会主義運動の推進につながります。ただし、協同組合の数や規模が増えることは、共産主義社会にとって必要条件ではあっても十分条件ではありません。マルクスは、協同組合の発展が社会全体における生産手段の社会的所有への転化と結びついてこそ、共産主義社会が可能になると考えました。

※12…日本でも現実問題として、生協や農協が経営の拡大を図った結果、資本主義的企業との差異化という課題に遭遇する事例が見られます。たとえば小田桐誠『巨大生協の試練と挑戦』、窪田新之助『農協の闇』を参照。

非営利団体

私のゼミには、卒業後に農協や信用金庫のような非営利団体に就職する学生がしばしばいます。非営利団体に就職した場合、その給料はどこから支払われるのでしょうか。一般の会社は営利団体ですから、営利事業を通じて付加価値を生み出し、そのうちの一部を賃金として労働者に支払います。公務員が勤める公的機関は、市民に対して公共的な財・サービスを提供することを目的としていますから、非営利団体です。それらは税金によって運営され、公務員の賃金も税金から支出されます。

公的機関以外にも、非営利で運営される団体・組織があります。協同組合はその代表例です。たとえば生協は、組合員が拠出する出資金によって運営されています。それ以外の非営利団体としては学校法人や医療法人が挙げられます。私が勤めている私立大学も非営利法人の一つです。

では、これらの非営利団体の場合はどこから賃金が支払われるのでしょうか。非営利団体というと、「儲けがないのだから無給で働いているのだ」と思っている人がいます。これはもちろん間違いです。儲けとは利潤であり、非営利とは利潤を出さないことを意味します。しかし利潤がないことは、賃金がないことを意味しません。

会社が生み出す付加価値は利潤と賃金に分かれます。利潤の中から株主への配当と役員報酬が支払われます。しかし賃金は利潤からではなく、会社の費用から人件費として支払われます。ですから、利潤と賃金は違う範疇なのです。付加価値が一定とすれば、利潤と賃金はむしろ背反関係にあります。

話を戻すと、非営利団体は利潤を得ていませんが、付加価値は生産しており、その中から賃金が支払われます。生協や農協などの従業員も、立派に給料をもらっています。

図表10-1によると、2014年に国内で生み出された付加価値のうち、「政府サービス生産者」が9・0％、「対家計民間非営利生産者」が2・3％です。両者を合計すると11・3％が非営利事業による付加価値で、2000年の10・7％よりわずかですが増加しています。

協同組合を代表するのは理事長ですが、株式会社の役員ほどの高額な報酬を獲得しているわけではありません。他方、非営利団体に勤める職員はそれなりの給料をもらっています。たとえば医療法人も非営利法人ですが、そこで働く勤務医の給料は、会社員の平均給与よりも高い水準にあります。

さて、このような非営利団体と社会主義の関係はどうでしょうか。資本主義の原理は利潤追求、すなわち営利です。社会主義はこの資本主義を廃止しようとする運動ですから、経済活動における営利企業を縮小し、非営利団体を拡大しようとする運動だと捉えることができます。

◉図表10-1　非営利事業による付加価値の割合

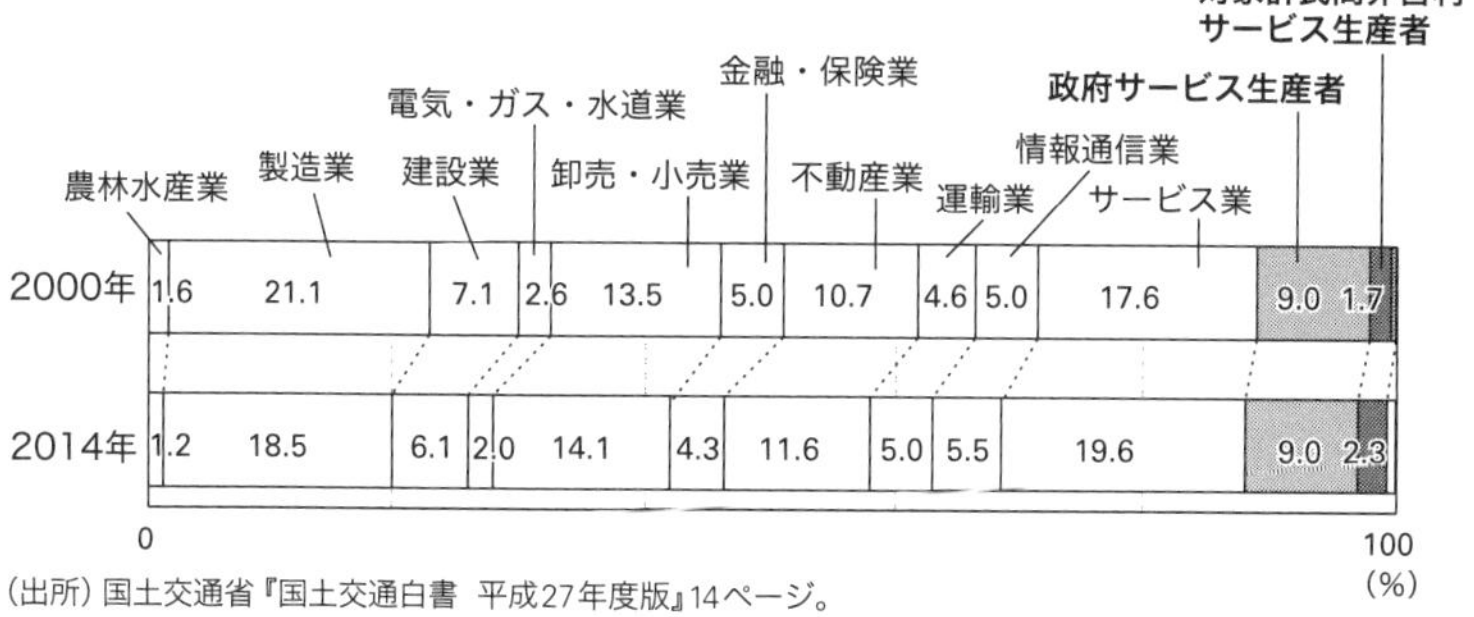

（出所）国土交通省『国土交通白書　平成27年度版』14ページ。

現在、日本で非営利法人がおおかた担っているのは、学校・医療のように誰もが利用する、公共性が高い業種です。アメリカのように、かなりの数の学校や病院が株式会社化している国もありますが、そうなると、たとえば貧しい家庭の子どもは学校に通えないことになってしまいます。それは決して好ましい事態とはいえないでしょう。

「民営化」という言葉がありますが、私は常々この言葉に違和感をもっています。「民」とは、本来は「人民」または「市民」を指します。しかし通常は、民営化とは公営事業を「民間」企業の私的所有に移行することを意味します。労働者も市民の一部ですが、民営化されても労働者の所有にはなりません。民営化はprivatizationの訳語ですから、「私有化」ないし「私営化」と訳すべきでしょう。

本来の意味での「民営」という言葉に最もふさわしいのは、協同組合による所有です。なぜなら協同組合こそ、組合員という市民が所有し運営する組織だからです。そして、協同組合のような非営利事業の拡大が社会主義運動の方向性と合致するとすれば、社会主義こそ本来の意味での「民営化」を推進するものといえます。

市場への公的規制

1980年代以降、新自由主義路線を採用した先進国政府は、企業に対する公的規制を緩和する規制緩和政策を実施しました。規制緩和の推進論者は、企業の営業の自由と政府による規制を対置し、公的規制によって企業の営業の自由が侵害され、経済的にも競争が阻害されて効率性を減じていると主張しました。市場は自由放任にしたときに最も効率性が高くなるとする新古典派経済学が、この規制緩和論を学問的にバックアップしました。

確かに「自由」と「規制」という言葉を並べてみると、規制は人々をがんじがらめに拘束しているイメージで、どうも分《ぶ》が悪そうです。政府・財界は、このような字面だけのキャンペーンによって、規制緩和に対する期待感を国民に植えつけようとしました。

しかし規制緩和について論じるならば、第一にその規制の内容をよく見る必要があります。たとえば労働に関しては、最低賃金制度、解雇規制、労働時間規制など、労働者の働く権利と健康を擁護する多くの規制が存在します。資本主義のもとで、労働者と資本家の労使関係では圧倒的に後者が有利です。それゆえ、労働者が安心して働けるように、このような諸規制がつくられてきたのです。これらを撤廃したら、得するのは資本家であって労働者ではありません。

第二に、規制されるのは誰かを考える必要があります。規制が営業の自由を侵害していると聞くと、あたかも商店街の個人商店が被害をこうむっているかのような印象を受けます。しかし事実は逆で、たとえば大型店の出店を規制する大店法《だいてん》が2000年に廃止されると、地域の商店街が衰退しました。今日の資本主義経済において規制が真っ先に加えられるべきは、絶大な力をもって中小企業と消費者を支配する大企業です。それゆえ大企業に対しては、取引条件についての情報開示、規約の通知義務、苦情対応などの規制を加える必要があります。このような規制はむしろ中小企業や消費者にとっての利益になります。

第三に、いかなる分野を規制するかも重要です。高利貸し・麻薬・ポルノ・ギャンブルといった自滅的行為を助長するような分野については、現在も規制が加えられています。市場の自由放任を主張するリバタリアンは、自己責任論を持ち出して、このような領域に対する規制も撤廃すべきだと主張しますが、市民の生活を守るためにこれらの規制は強化されるべきです。

第四に、経済のグローバル化のもとでは、国際的な規制がむしろ求められています。たとえば1970年代以降、先進国では気候変動に対処するために、化石燃料採掘や火力発電新設を制限するなど、炭素排出を抑えるための環境規制が設けられました。ところが多国籍企業は、工場を操業する国で環境規制に従った場合にかかる費用を忌避し、環境規制の弱い国に工場を移転して、そこで環境破壊をもたらしています。こうした多国籍企業の「営業の自由」に対しては、国際的な規制が必要です。

さて、社会主義はもちろん大企業への公的規制を支持します。社会主義の観点から規制を捉えれば、それは企業の行動を民主的に制御することです。社会主義は生産手段を社会的所有とし、労働者・市民が企業を民主的に運営することをめざします。とすれば、企業に対する公的規制とはまさに社会主義の実践に他なりません。

1980年代以降の新自由主義路線によって、多くの公的規制が撤廃され、日本国民の生活にダメージを与えています。1994年に、村山富市内閣のもとで農産物原則自由化を含むWTO(世界貿易機関)協定が批准《ひじゅん》されました。そして規制緩和を名目に、米の需給を政府が管理する食糧管理法が廃止され、米の需給を市場原理にいっそう委ねる新食糧法の導入によって、食用農水産物の輸入が激増しました。日本の食料自給率は低下の一途をたどり、2022年現在はカロリーベースで37%にまで落ち込んでいます(図表10-2)。これは先進国の中ではきわめて低い水準です。

また医薬品の販売については、薬品の種類によって対面販売でなければならないという規制がありましたが、それが撤廃されてしまいました。その後、高校生が睡眠薬を飲みすぎて死亡するといった痛ましい事故が起きています。このような悲劇を起こさないために、薬品のように生命に関わる商品の扱いについては公的な規制が必要なのです。

市場メカニズムに経済を委ねる自由放任主義に反対し、市場を公的規制のもとにおき、生産・流通を市民が民主的に制御することは、資本主義の原理からは出てきません。それは社会主義の原理に基づいてこそ初めて可能なのです。

学校教育

今日では教育といえば、ほとんど学校教育

◉図表10-2　食料自給率の国際比較

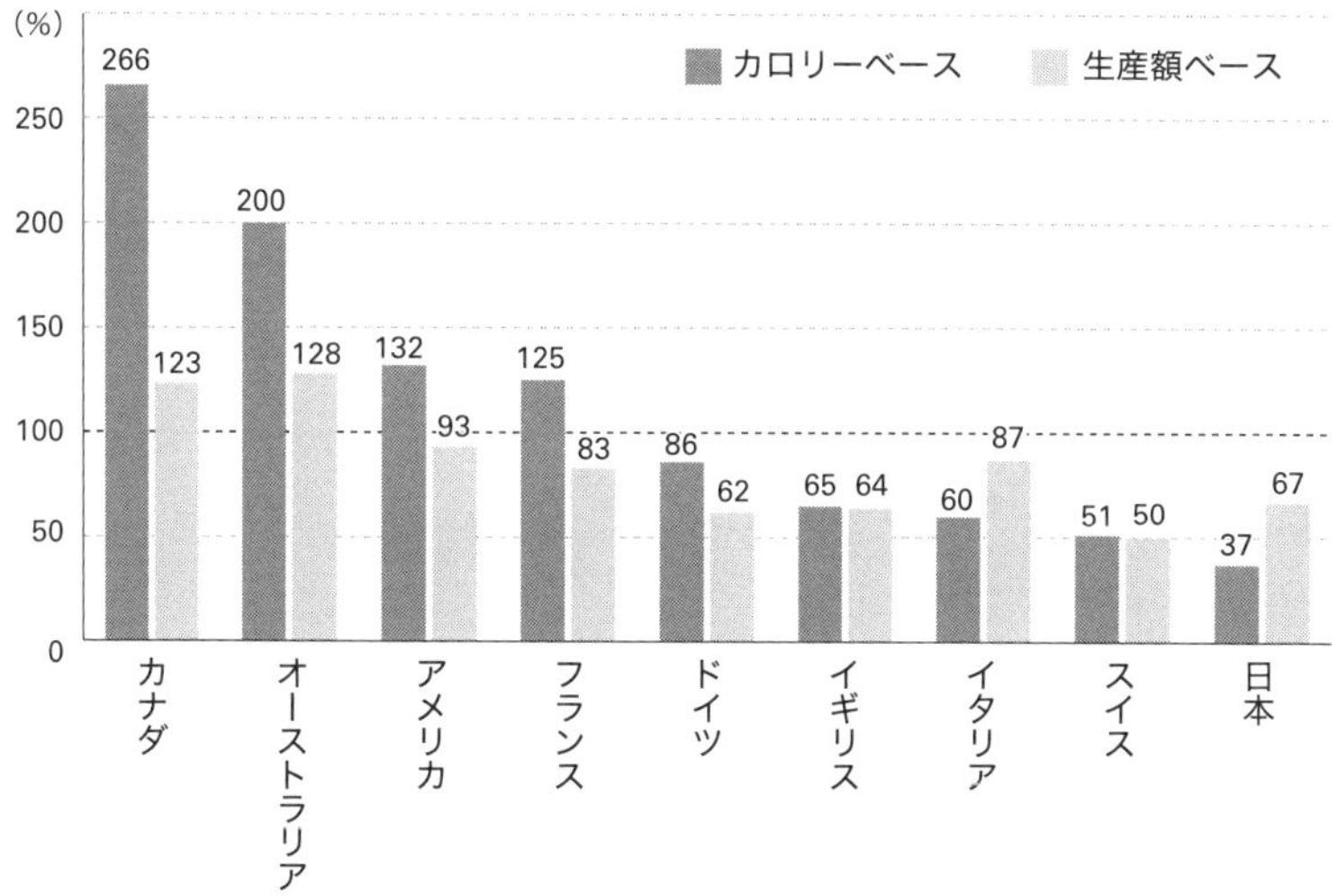

（出所）農林水産省「世界の食料自給率」〈maff.go.jp/j/zyukyu/zikyu_ritu/013.html〉

のことを指します。日本では明治期より前の時代には、貴族や武士が学ぶ学校はあっても、民衆一般が学ぶ学校は制度としてはありませんでした。農業が中心だった封建社会では、武士は一定の教育を受けましたが、それは教養としての教育であり、経済活動とは結びついていませんでした。

私たちは子ども期から青年期にかけて学校教育を受けます。特に小学校から中学校までの時期は義務教育といわれていて、保護者には子どもを学校に通わせる義務があります。私たちは子どもが学校に通うことを当たり前だと思っていますが、この学校という制度が、社会主義と大いに関連しています。

資本主義の母国イギリスでは、18世紀後半に機械制大工業が進展します。そこでは多くの児童が過酷な工場労働にたずさわり、人間としての健全な成長を阻害されていました。人間性の開花を目的とする社会主義の観点からすれば、成長期の青少年に対する教育はきわめて重要です。

社会主義者オーウェンは、工場法の改正に際して、10歳未満の児童労働の禁止、18歳未満の者の労働時間の制限、さらに児童に一定期間、授業を受けさせることを提案しました。[※13] このような努力が結実して、イギリスでは1870年に、後の義務教育に道を開く初等教育法が制定されます。このように、学校教育の成立には社会主義運動が深く関わっています。

しかし、学校教育は広い意味での生産の社会化の一環であり、資本主義が利潤追求という目的のために利用する制度という側面もあります。日本の学校教育では、その公教育としての性格をめぐって、資本主義と社会主義の両者がせめぎあってきました。

日本で学校教育が制度として成立したのは明治時代、1872年の学制からです。後発資本主義国である日本では、欧米の資本主義に追いつくことが国家目標とされました。政府は体系的に子どもを教育するために学制を施行しました。当時の農民にとって児童は重要な労働力の担い手だったので、彼らは強く抵抗しましたが、明治政府は学制を強行しました。

工業の発展を課題とした政府にとって、実用的な知識と身体的な規律を備えた労働者の育成が必要でした。また、農民が土地にしがみついて離れないのでは、労働力を販売する労働者になりません。それゆえ学制の実施は、自営業者を生産手段から引き離して賃労働者にする意味もありました。これによって第二次世界大戦前には、今でいう小学6年生までを義務教育として、すべての児童が就学する体制が整備されました。

明治政府は中等・高等教育も整備しましたが、当時の大学への進学率は数パーセントにすぎませんでした。初等教育は国民全員が対象でしたが、中等・高等教育は一握りのエリートの養成が目的でした。資本主義が労働者を分断するために、労働者の間に序列を設けることは、第8章でふれた通りです。

しかも、資本主義が封建主義と異なるのは、労働者の序列を固定化せずに、上の階層に上昇させる機会を設ける点です。それゆえすべての労働者が「がんばればもっといい大学、いい会社に入れるんだ」という期待をもって、子どもの頃から競争させられます。このように、戦前の教育はすでに競争主義の側面ももっていました。戦後になっても日本は資本主義的発展の道を歩んだので、苛烈《かれつ》な受験

※13…依光正哲「イギリス初期工場法に関する一考察」を参照。

競争と学歴社会は残り、競争主義の性格は継続しました。

しかし一方で、戦後の日本では、新憲法をはじめ一定の民主化が進められ、高度経済成長のもとで、部分的に福祉国家的政策がとられました。まず義務教育の年限が小学校から中学校にまで引き上げられました。また学費免除や奨学金の制度も整備され、経済的に恵まれない家庭の子どもでも高等教育へと進める機会が与えられました。教育委員の公選制は1950年代半ばまで続きました。50年代から70年代にかけての革新自治体では、高校全入が推進されました。この点で、戦後日本の教育制度には社会主義の要素が存在したのです。

1980年代に入って政府が新自由主義路線をとって以降、高校の学区制が廃止され、国立大学が独立行政法人になるなど、教育の資本主義化が進行しました。しかし今のところ、小中学校の公立制は維持されています。みなさんの多くは、就学年齢になれば地域の公立小中学校に通うことを当然と思っていたでしょう。ですが、それは歴史的に見れば社会主義的な成果なのです。

資本主義の度合いが強いアメリカでは、大学の年間授業料は公立(州立)平均で90万円、私立だと240万円となります。奨学金よりも民間の教育ローンが一般的で、大学生の卒業時の教育ローン残高は平均で300万円に上ります。民間の教育ローンは有利子なので、大学の授業料のために400万円借りた学生が、卒業後に800万円返還せねばならないようなはめになります。これは教育ローンという名の貧困ビジネスだとして批判されています。

イギリスは、かつて福祉国家の代表格でしたが、1979年からのサッチャー保守党政権によって、教育にも新自由主義が導入されました。日本と同様に小中学校は公立でしたが、民営化が推進されました。その結果、学校間格差の拡大、基礎学力を修得できない生徒やストレスを抱えた生徒の増大、人気校周辺に引っ越す家庭の増加による不動産価格の上昇、そして貧困家庭の子が人気校には進学できないという問題が生じています。[※14]

他方、第8章で見たように、社会主義勢力が強い北欧諸国の教育では、競争主義ではなく共同主義を重視します。子どもたちは、友だちを受験競争の敵と見なすのではなくて、相互に教えあう仲間として、協力しながら成長していきます。教育の本来の目的は、諸個人が関心をもつ対象を見つけて、その能力を開花させることです。この点で北欧諸国の教育は、社会主義的要素を色濃くもっています。

日本のこれからの教育の課題は、現在の日本の教育に存在する社会主義と資本主義のいずれの要素を伸ばすのかです。現在の自民党政権は、イギリスのように教育の民営化を進めようとしています。[※15]人々を絶えず競争させ、勝ち組と負け組に分断する、資本主義の徹底としての新自由主義路線のもとでは、貧しい家庭の子どもは小学校にも行けないような事態になりかねません。

しかし、みなさんのほとんどが、小中学校には誰でも入れるのが当たり前と思っており、義務教育の公的保障には賛成ではないでしょうか。かつて1980年代に新自由主義の総帥《そうすい》といわれたミルトン・フリードマンは、「アメリカにおいて公立学校教育制度が樹立されたことは、この国の自由市場

※14…福田誠治『競争しても学力行き止まり』を参照。
※15…下村博文「公立小中学校の独立行政法人化という究極の改革に向けて」を参照。

体制という大きな海の中に社会主義の出島をこしらえることになった」と論じました(『選択の自由』245ページ)。私はもちろん新自由主義には反対ですが、フリードマンの事実認識には同意します。新自由主義化がいっそう進む現在においては、義務教育の公的保障は社会主義的な要求なのです。

社会権と社会保障

日本国憲法には、生存権、教育を受ける権利などの社会権が明記されています。私たちの生活に根づいている国民皆保険・皆年金などの社会保障制度や義務教育制度は、この社会権に基づいています。

以前、学生のレポートに「資本主義は生存権のような基本的人権を保障しているので、失業しても生きていくことができます」と書いたものがありました。資本主義は個人の自由権は保障しますが、社会権は資本主義の原理からは導出されません。

たとえばアメリカには日本のような国民皆保険の制度はありません。バラク・オバマ元大統領はそれに近い制度であるオバマ・ケアを導入しました。これに対してドナルド・トランプ前大統領は「オバマ・ケアは社会主義だ」と批判しました。トランプはもちろん否定的な意味で社会主義だと断定したのですが、国民皆保険のような制度が社会主義に由来することは間違いではありません。

社会権の反対概念は自由権です。資本主義が基本的人権として擁護するのは、個人の所有権を中核とする自由権です。ロバート・ノージックというリバタリアンは、自由権と社会権が両立しないことを力説しました。[※16] 万人に平等な社会権を保障するには財源が必要であり、それは国家が富裕者に課税することによってまかなわれます。ノージックによれば、これは富裕者に強制労働させているのと同じで、彼らの自由権を奪っているというのです。これは極端な主張だとしても、資本主義の原理からは社会権は絶対に導出できないのです。

社会権や社会保障をもたらしたのは社会主義です。1880年代にはドイツで社会保険制度が創設されました。それを推進したのは当時のドイツ資本主義の代弁者であるオットー・フォン・ビスマルク首相ですが、彼は勃興しつつある社会主義運動を抑え込むために、あえて先手を打って社会保障を整備したのです。ですから、社会保障を推進したのが資本家階級の主導する政府であったとしても、それは社会主義勢力による運動の帰結なのです。

さらにドイツでは、1919年に制定されたワイマール憲法で、社会権が明記されました。当時の政権を主導したのは社会民主党という、マルクスも創設に関わった社会主義政党でした。ドイツ社会民主党は、第一次世界大戦において戦争に賛成したり、ローザ・ルクセンブルクら左派を弾圧するなど、右寄りにぶれることもありましたが、社会主義を漸進的に追求する姿勢をとりました。

当時、ロシアで「社会主義」を掲げる革命政権が生まれ、ドイツ国内でも労働者運動が高揚しました。そのように情勢が激変する中で、急進的な革命を抑制するというもくろみが社会民主党にはありました。このような複雑な政治力学が絡んでいますが、ワイマール憲法に社会権が盛り込まれるう

※16…ロバート・ノージック『アナーキー・国家・ユートピア』を参照。

えで、社会主義運動が大きく寄与したことは確かです。

先進資本主義国では社会権が定着し、社会保障が整備されていることをもって、社会権・社会保障は資本主義にとっても必要なのだという議論があります。日本でも大河内一男が労働力保全説を唱えていました。資本の移動が制限された閉鎖経済では、労働力の調達は国内の労働市場に限定されますから、この種の議論が成り立ちますが、多国籍企業が安い労働市場を求めて海外に移動するグローバルな開放経済のもとでは成り立ちません。

１９８０年代以降の新自由主義政策が、非正規労働者を増加させて賃金を生存水準以下に切り下げ、社会保障予算を削減させていることは、資本主義の中に社会権を保持する誘因がないことを示しています。

日本国憲法における社会権は、ワイマール憲法から大きな影響を受けています。日本国民のほとんどが国民皆保険・皆年金の制度を利用しているように、これら社会主義に基づく制度は、私たちの日常生活に深く根づいています。それが現在、新自由主義路線のもとで危機に瀕《ひん》しています。それに対抗する運動は、社会主義に立脚せざるをえないのです。

福祉国家の限界と社会主義

社会民主主義派が推進した福祉国家は、第二次世界大戦後から１９７０年代までは、上述のような大きな成果を達成しました。しかし70年代以降、福祉国家は政治経済、そして環境保護の面で、重大な危機に直面します。

第一に、福祉国家の経済的基盤は高度成長にありました。国民所得の増分は資本家がほとんどを獲得していましたが、一部を労働者に分配する余裕がありました。それによって社会保障や教育を充実させることができました。

ところが70年代以降、低成長からゼロ成長の時代に入ると、付加価値は増加しなくなりました。一定の付加価値を前提とすれば、資本家の利潤と労働者の賃金は、どちらかが増えるともう片方が減るという対立関係になります。そこで80年代以降、資本家階級は新自由主義路線をとって、福祉国家の切り崩しにかかりました。

それから今日まで、新自由主義政策によって格差・貧困の度合いが高まり、この政策に対する国民の評価も厳しくなってきました。そこで福祉国家の再建を望む意見も出はじめましたが、ゼロ成長に入った資本主義に再び高度成長を取り戻すことはほとんど不可能です。

高度成長期には、国民の消費性向は旺盛《おうせい》でした。どこの家庭でもこれから家電を買い揃える時期でした。しかし2020年代の私たちの家庭には、ほとんどの家電が揃っていて、もうこれ以上買いたいものはありません。生活が豊かになると消費性向が低下するのは当然です。

また資源・環境の面から見ても、高度成長は望ましくありません。経済成長によって生産量が増えれば、その分だけ資源をより多く使用し、より多くの廃棄物をもたらします。

2015年に国連総会で採択された「持続可能な開発目標」（SDGs : Sustainable Development Goals）は、「持続可能な経済成長」を謳《うた》っています。これは「持続可能な開発のための2030アジェンダ」

で示された、２０３０年までの行動指針です。17の課題は貧困・福祉・教育・ジェンダー・エネルギー・経済成長・環境・平和などからなります。企業の社会的責任よりも課題がより包括的で、しかも国際的な基準となっています。

しかし、自然環境と資源、そして発展途上国の現状からすれば、先進国の経済成長は持続させてはいけません。先進国は今後、持続可能な定常経済を追求すべきです。よって高度成長を前提とする福祉国家は、新自由主義政策を放棄した後の一時的な通過点にはなりえますが、それを最善の体制として位置づけることはできないのです。

第二は国家の役割です。福祉国家では、資本・労働・政府のトップが交渉を通じて経済・社会政策を決定しました。国家官僚は決定された政策を上意下達で遂行しました。それゆえ政府が肥大化して、国民は福祉を受けるだけの存在に成り下がってしまうという問題が生じました。

福祉国家を推進したのは、労働組合とそれに支持された社会民主主義政党でした。彼ら社会民主主義派は、鉄道・資源・福祉・教育などの重要部門を国有化する路線をとりました。これも生産手段の労働者・市民による社会的所有という社会主義的な体制への移行手段としては有効でしたが、この目的を離れて国有化が一人歩きすると、結局、労働者・市民が生産手段の運営から切り離されて、国家に任命された官僚が労働者・市民の利益に逆らうような運営をおこなう事態が生じました。

新自由主義派は、これらの問題の原因が社会主義化にあると決めつけ、規制を緩和して民営化を進めれば、国民が主体的に経済社会に関与できるかのような幻想をふりまきました。この戦略が功を奏したことも、福祉国家が衰退する一つの要因でした。

また、福祉国家を推進する社会民主主義派は、議会で多数派を握ることによって社会主義的な政策を実現する路線をとりました。この民主主義的な路線自体は間違っていなかったのですが、社会民主主義派は選挙で議席を獲得して国家の上層部を掌握することばかりにエネルギーをそそぎ、職場や地域といった日常的な場面で労働者・市民の要求を実現する姿勢に欠ける部分がありました。

社会主義者の目的は、階級と国家の廃止です。資本主義から社会主義への移行に際して、資本家階級が独占していた国家機構を、社会主義派がいったん受け継ぐプロセスはどうしても必要ですが、問題は、政権の座についた社会主義派が、自ら国家機構の権限を自治体や職場に移行するかどうかです。福祉国家で肥大化した政府は、自らの権限を市民に譲渡することができませんでした。それゆえ、市場化こそが政府を小さくする唯一の方法だという新自由主義者の主張に反論できなかったのです。これも福祉国家が衰退した大きな要因です。

第三はグローバル化です。福祉国家が全盛をきわめた1970年代初めまでは、企業の活動は基本的に一国の領域内にとどまっていました。海外進出した企業も一部にはありましたが、今日のように国境を自由にまたいで活動する多国籍企業はわずかでした。ところが80年代以降、経済のグローバル化が進行すると、賃金の安い国・地域があれば多国籍企業が容易に工場を移転するケースが頻繁《ひんぱん》に見られるようになりました。また多国籍企業は、法人税が高い国を避けて、低い国へ本社を移転しようとします。

福祉国家は、大企業や高所得者に高い税金をかけて、そこから得られた税収で、恵まれない人々への社会保障をまかなっていました。この政策は、企業が一国の枠内で行動するという大前提のもとで初めてうまく機能します。グローバル経済のもとでは、ある国の政府が企業に高い法人税を課すと、その企業は国外に逃避してしまいます。

それゆえ80年代以降、先進資本主義諸国は、多国籍企業を自国に呼び込むために、競って法人税率を引き下げました。その結果、日本では社会保障の財源が枯渇し、それを補うために一般消費者に負担をかける消費税を導入することになります。この税金は高所得者も低所得者も一律に課税されますから、いうまでもなく格差の拡大をもたらしました。このようにして経済のグローバル化は、課税と再分配に基づく福祉国家の基礎を掘り崩していったのです。

第四は情報化です。インターネットを中心とする情報化の進展は、生産力を飛躍的に発展させました。高度成長期は、産業の主力を重化学工業などの製造業が占めていました。これによって大量生産・大量消費が可能になり、付加価値の成長がもたらされました。対して今日では、経済を牽引《けんいん》する産業は、GAFAMが代表する情報産業です。高額所得番付でもこれら情報産業の創始者や役員が顔を並べています。しかもこの産業の特徴は、いったんプラットフォームを掌握すると、それを利用する他企業や消費者から莫大な利益を稼ぎ出すことができることです。

資本主義は、生産手段を所有する資本家と、労働力しかもたない労働者から構成されます。情報化された資本主義では、情報プラットフォームを独占する資本家が、重化学工業の時代とは比べものにならないほど大きな利益を上げることができます。しかもAIが導入されると、これまで労働者が担っていた仕事が奪われてしまい、労働者の失業や賃下げが進行します。その結果、貧富の格差は急速な勢いで進行します。

情報化によって資本主義による搾取が極度に進行すると、福祉国家がとってきた課税と再分配によっては、階級間の格差をなくすことはきわめて困難になります。資本主義を基礎におきつつも、資本主義の行きすぎによる弊害を緩和するという社会民主主義的な方法が、情報化された資本主義のもとではうまくいかないのです。

このように、社会民主主義的な福祉国家は、第二次大戦後の特殊な状況で初めて可能になったものであり、決して未来永劫に存続できるような安定した体制にはなりえません。現在の新自由主義路線に対して、福祉国家の再建を訴えるアプローチは一時的には必要だとしても、福祉国家を永久に保持しようとする戦略は現実的ではありません。

社会民主主義派は、さらに右派と左派に分けることができます。右派は福祉国家こそが最善の体制であるとして、これを恒久的に維持しようとします。左派は、この体制は社会主義への通過点であって、永久に維持することはできないと主張します。

社会民主主義右派からすれば、ソ連型体制が頓挫《とんざ》した今日、私たちに残された唯一の選択肢は、資本主義を基盤にしながら、その中で社会主義的要素をできるだけ取り込む福祉国家だということになります。彼らは、北欧諸国が社会保障や教育の面で平等主義的に高い水準を満たしているのだから、資本主義のもとでも社会主義の理念は達成可能だと主張します。

第2章で説明した「制度としての社会主義」からすれば、確かに福祉国家は社会主義の要素を備えています。しかし「方向としての社会主義」からすれば、この体制を永遠に保持しようとする立場は社会主義とはいえません。しかも福祉国家が存続可能な条件は、今日の資本主義のもとではなくなってしまいました。

ですから、新自由主義への対案として福祉国家を提示することは一時的には必要だとしても、私たちはそれを永続的な体制として位置づけることはできないのです。資本主義のもとで生産力がきわめて高くなり、しかも生産の社会化が極度に進行した今日、共産主義社会へ移行するしか、問題を解決する道は残されていないのです。

SOCIALISM IS EVERYWHERE

第11章 社会主義の予兆

今日の資本主義社会では、福祉国家が限界に直面し、それを攻撃した新自由主義も破綻に見舞われています。その一方で、グローバル化や情報化を通じて、生産力の発展と生産の社会化がますます進んでいます。その中で、先進資本主義国では、福祉国家を超えて共産主義社会に近づいていることを示す予兆がいくつか現れています。

グローバル化

大航海時代以降、資本主義の影響は世界に及び、特に20世紀末からは、資本・労働力・人間・商品が国際的に移動するグローバル化が急速に進みました。しかし、それは利潤追求を原理とする資本が主導していたため、様々な問題を引き起こしました。

第一に、自社の利益を最優先にする多国籍企業は、国民経済の利益と相反する行動に出ることがあります。たとえば、他国でより安い労働力が得られるならば、国内の工場を突然に閉鎖して、それを海外に移転します。また自国の高い法人税を嫌って、より法人税の低い国に資本逃避したり、タックス・ヘイブン（租税回避地）に名目的に本社を移します。

第二に、現在、世界的に気候変動による危機が叫ばれていますが、資本主義にとって経済成長は基本条件ですから、そこでの環境保護には限界があります。先進国が経済成長路線をとって二酸化炭素排出量の削減に真剣に取り組まないのに、これから経済成長が必要な途上国にそれを押しつけても説得力はありません。近年、先進国が推進する「持続可能な経済成長」も、あくまで経済成長を維持することが前提なのです。これではグローバル化が進むほどに自然環境が悪化することになります。

第三に、20世紀末からのグローバル化のもとで、NIEs（新興工業経済地域）やBRICSのような新興国が経済成長を見せましたが、先進国と途上国の経済格差、すなわち南北問題は、依然として未解決です。[※1] 多国籍企業は途上国を、安価な資源と労働力の供給源であると同時に、自国の商品の市場としてしか見ていません。途上国は先進国の需要に応じて生産をおこなうために、歪《いびつ》な産業構造から抜け出すことができず、従属的な地位におかれています。

このような資本主義的なグローバル化の限界を克服するためには、最終的には世界中の国々が社会主義化することが理想ですが、そこへ第一歩を踏み出すためには、まず先進国が社会主義化することが必要です。

多国籍企業の横暴に歯止めをかけるためには、諸国が連携してトービン税のような国際課税を実現することが重要です。[※2]しかし根本的に多国籍企業の専横を阻止するには、先進国がこれらの企業を公有化し、労働者・市民による運営に移行することが必要ですし、この方法以外に多国籍企業への規制を実質化する方法はありません。

先進国が社会主義に移行したならば、そこでの経済政策の目標は成長ではなく、定常状態です。社会主義のもとでは、生産性の上昇は、生産量の増大ではなく、投入される資源や労働力の縮小に向けられます。先進国が定常経済に移行し、率先して二酸化炭素排出量を減らせば、途上国も二酸化炭素削減に理解を示すでしょう。

かつては、途上国が先進国からの支配を脱して経済発展するためには、資本主義を経由せず一気に社会主義経済を導入すべきであるとの主張が繰り広げられ、1960年代に独立後のアフリカ諸国などで実践されましたが、それは失敗しました。南北格差を解消するために、途上国にとってまず必要なことは、順調な資本主義的発展を遂げることです。[※3]対して先進国は、自国が社会主義化することによって、途上国を搾取の対象にも競争の相手にもすることなく、互恵的な関係を築いて、途上国が自立化できるように援助・協力することになるでしょう。

※1…NIEsとしては、韓国・台湾・シンガポール・ギリシャ・メキシコなどが挙げられます。BRICSは、ブラジル・ロシア・インド・中国・南アフリカのことです。
※2…トービン税は、外国為替市場における投機目的の短期的取引を抑制するために、外国為替取引に課税する税制度で、1972年にジェームズ・トービンが提唱しました。
※3…中南米では近年、社会主義を掲げる左派政権が成立しています。これらの国々は、資本主義経済のもとでの経済発展を指向しながら、重要産業の国有化や社会保障・教育の充実など社会民主主義的政策を実施しています。

資本主義的グローバル化によって、各国が相互に競争し、ときには戦争するような状況では、国際協力は不可能です。権力が国家に集中すると、国内では国民への弾圧が起きやすくなり、国外に対しては戦争を起こそうという誘因が強くなります。世界各国において共産主義社会への移行が実現すれば、それぞれの社会における国家の比重は次第に小さくなり、国家間が対立する要因も軽減されるでしょう。※4その延長線上に、国家のない平和なコスモポリタン社会が展望されます。マルクスの「万国のプロレタリア団結せよ！」というスローガンは、このような含意《がんい》をもっています（『マルクス＝エンゲルス全集』第4巻、508ページ）。

情報化

情報化が資本主義と社会主義に与える影響については、これまで次のようにいわれてきました。「資本主義経済は、価格メカニズムの作用を通じて、需要と供給に関する各経済主体の情報を効率的に伝達することができる。また、資本主義経済においてこそ、企業間の競争を通じて技術革新が進行する。資本主義の中心であるアメリカで情報化が進展し、GAFAMのような情報技術産業が生まれたことは、情報化にとって資本主義が最適のシステムであることを示している」。この議論がもはや時代遅れであることを、以下では明らかにします。

かつて、社会主義経済計算をめぐって論争が展開されました。計画経済支持派は、実際の市場がなくても、計画当局が計算価格を通じて、各経済主体からの需要・供給に関する情報を集約して調整することができると主張しました。しかし問題となったのは、たとえそれが理論的には可能だとしても、実際的には、そのような膨大な情報を処理する計算は、当時の技術水準では不可能であるという点でした。ソ連経済は、1970年代までの重厚長大産業を中心とした経済成長において、ある程度の実績を示しましたが、80年代以降、ME化・情報化が進展すると、西側諸国との技術革新競争に敗れることになりました。これは、計画経済のもとでは技術革新への誘因が働かなかったためであると説明されました。

ここで述べられている状況は、21世紀に入って大きく変化してきました。今日の資本主義経済では、GAFAMのような巨大企業が市場においてプラットフォームやビッグデータを独占することによって、消費者や中小企業の利益を損なう事態が生じています。たとえば音楽配信サービスにおいて、巨大企業は消費者に有料サービスを購入させるため、無料サービスに不要な広告を入れます。[※5]また、アマゾンのように流通を独占的に支配する企業は、そこに出店する中小企業から莫大な使用料

※4…チリでは1970年に大統領選挙で社会党のサルバドール・アジェンデが勝利しました。これによって初めて、選挙を通じて、社会主義を指向する政権が実現しました。これに危機感をもったアメリカは、CIAを通じて軍部のアウグスト・ピノチェト将軍を援助し、軍事クーデターによってアジェンデ政権を打倒しました。しかしその後、発展途上国が国際世論における発言力を増すにつれて、中南米で社会主義派が政権についても、アメリカはあからさまな軍事介入ができなくなりました。
西欧では戦後にほとんどの国で社会民主主義政党が政権についた実績があります。1980年代にはスウェーデンの社会民主労働党政権が、生産手段の社会的所有にかなり近づいた労働者基金のような法案を通しましたが、他の西側諸国がこれに介入することはありませんでした。
※5…公的機関のサービスや、ウィキペディアのように非営利団体が提供するサービスには、広告がありません。

を徴収します。

かつて室町時代に、八代将軍足利義政の妻である日野富子は、京都の七つの出入口に関所をおいて、通行者から関銭《せきせん》を徴収しました。このような封建地代は、地主階級の利益のために商工業者の産業活動を犠牲にする寄生的性格をもっていました。今日の巨大企業は、プラットフォームやビッグデータのように、それを独占的に所有するだけで、巨額のレントを得ています。しかもそれは、消費者や中小企業から寄生的に収奪することによって得られる利益です。このような資本主義の形態は、第8章で見たように「レント資本主義」と呼ばれ、資本主義がますます腐朽《ふきゅう》した段階に入ったことを示しています。

今日の情報社会において、プラットフォームやビッグデータは、一つの私的企業が独占する性格のものではなく、社会全体として管理すべき公共的性格をもっています。たとえばフェイスブックのようなSNSは、市民の誰もが利用しうるサービスであり、選挙のような公共的な場面で大きな影響力をもちます。その運営が一握りの資本家の気まぐれで左右されるのでは、その公共性が保持できません。

第6章では、人類誕生から原始共同体、農業共同体に至るまで維持されてきた伝統的なコモンズについて、そしてその持続可能性を理論的に明らかにしたオストロムの研究について述べました。

しかしコモンズは、伝統的な形態に限られるわけではありません。工業社会から情報社会に移行した今日、新しい形態のコモンズが登場しつつあります。工業経済における生産物はモノなので、私有しやすい面がありました。今日の情報経済における生産物は、知識や情報です。確かに、それらも知的所有権や特許制度によって私的所有を保障することはできますが、知識や情報は私有よりも共有にふさわしい性格をもっています。

たとえばウィキペディアのような知的資産は「クリエイティブ・コモンズ」と呼ばれ、条件さえ守れば誰でも利用可能です。コンピュータの基本ソフト（OS）は、マイクロソフト社のウィンドウズのように利潤目的で利用料を徴収することもできますが、リナックスのように誰もがフリーで利用でき、しかもOSの改善に参加できるというオープンソースもあります。

つまり情報社会は、コモンズに適合的であるという特性をもっているのです。オストロムが示したように、コモンズは市場でも国家でもなく共同体によって管理されます。社会主義の目標は、共同体メンバーによる資産の管理ですから、社会主義こそ情報社会にふさわしい経済システムなのです。※6

社会主義経済計算論争で問題になったコンピュータの処理速度については、今日では量子コンピュータが誕生し、飛躍的に処理速度を高めました。1960年代の処理速度は確かに産業連関のすべてを網羅することができませんでしたが、今日のコンピュータであれば十分に処理可能です。しかも今日ではPOSシステムによるビッグデータやAIを活用することによって、消費者の需要を正確に予測することができます。個々の経済主体が実際に取引した結果として得られる価格よりも、迅速で正確な情報を得ることができます。

市場経済では膨大な広告費が浪費されますが、社会主義経済であればそのような無駄もなく、各人の需要に即して必要な製品を得ることができます。つまり情報化は、社会主義経済の可能性を大

※6…情報社会における共同体とは、非営利団体のようなアソシエーションのことです。アソシエーションについては、第5章を参照ください。

きく高めたのです。

シェアリング・エコノミー

最近、台頭しつつある新しいビジネスモデルとして、シェアリング・エコノミーが注目されています。シェアリング・エコノミーとは「典型的には個人が保有する遊休資産（スキルのような無形のものも含む）の貸出しを仲介するサービス」です（総務省『情報通信白書　平成27年度版』２００ページ）。自動車運転手を仲介するウーバーや、民宿を斡旋《あっせん》するエアビーアンドビーが有名です。

シェアリング・エコノミーの強みは、ネットワークが有する外部性を活用する点にあります。外部性とは、取引の当事者以外に何らかの良い効果をもたらすことです。特に情報を提供する場としてのプラットフォームが貸主と借主を仲介する場合には、両面市場という外部性が働きます。

たとえばクレジット会社には、クレジットカードの利用者と加盟店という2種類の顧客がいます。カードの利用者が増えると加盟店の売上が増大し、加盟店が増加すれば利用者の利便性が増します。ウーバーやエアビーアンドビーのようなシェアリング・エコノミーが急速に成長した秘密は、両面市場という外部性にあったのです。

ところでシェアとは「共有」ですから、シェアリング・エコノミーは「共有経済」となります。シェアリング・エコノミーを推奨する人々は、資本主義を乗り越える新しい経済の形であると評価しています。では、シェアリング・エコノミーと共産主義・社会主義はどういう関係にあるでしょうか。

まず、シェアリング・エコノミーの「共有」は、社会主義でいう「共有」とは意味が異なります。社会主義における「共有」とは、私有の否定としての社会的所有であり、所有者としての市民が共同で利用することです。たとえば公園や公共図書館がそれにあたります。これに対してシェアリング・エコノミーの「共有」は、個人の私有財産を他者に貸して活用してもらうことです。

さらに、現在展開されている、特に大企業によるシェアリング・エコノミーは、利潤追求を原理とするビジネスです。それゆえこれらには、資本主義の負の側面が見いだされます。

第一に、プラットフォームの独占化による弊害です。たとえばエアビーアンドビーに膨大に蓄積された評価は、ホストとゲストの両者を他のサービスに移行できないよう閉じ込めてしまいます。

第二に、事業者と消費者を仲介する第三者という立場に乗じて、責任を回避する方向があります。たとえば、ウーバーがドライバーの報酬・待遇について、彼らはウーバーの労働者でなく個人事業者であるとして、改善要求に応えない問題が起きています。

第三に、プラットフォーム企業が集めた莫大な個人情報を悪用したり、勝手に販売したりするようなケースも見られます。※7

こうした問題の反面、シェアリング・エコノミーは、資本主義から離れて社会主義に接近する要素ももっています。シェアリング・エコノミーの実践は、貸主・利用者いずれにとっても、私的所有を相対化する経験をもたらします。財にしてもサービスにしても、重要なのは所有ではなくて利用するこ

※7…高野嘉史「『市場の両面性』とシェア・エコノミー」を参照。

とであるという感覚を醸成します。

またシェアリング・エコノミーにおける貸主の動機は、利潤追求よりも、自分のもっている資産を有効活用したい、さらには社会のために役立てたいという社会性にあります。

シェアリング・エコノミーにおいて、媒介的役割を果たすのはプラットフォーム事業者です。プラットフォームを私的に所有して独占しているのがプラットフォーム巨大企業ですが、プラットフォーム自体は共有しやすい性質を有します。

伝統的な資本主義では、巨大な生産設備を有する資本家が労働者を雇用して、彼らが生産した付加価値から多大な利潤を上げていました。これに対してプラットフォームは、インターネットを介した情報の枠組みであって、決して一部の資本家が独占する必然性をもちません。

実際、最近では、個人事業者や労働者が自前でプラットフォームを立ち上げて運営する「プラットフォーム協同組合」という新しい事業形態が登場しています。[※8] シェアリング・エコノミーは、資本主義よりも社会主義になじみやすい性格をもっています。

グーグルのような巨大なプラットフォームは、規模の経済という点で大きな利便性があります。巨大プラットフォーム企業の独占がもたらす弊害を解消するために、独占企業を分割しようという議論がありますが、それを実行すると規模の利益が失われてしまいます。ですから、巨大企業を公有化し、市民が自ら運営する協同組合にすることが、社会主義のめざす方向です。

企業の社会的責任

多数の労働者が協業によって生産する会社企業は、社会的性格をもっています。資本主義が軽工業段階から重工業段階へと移行するにつれて、企業にとっての最低必要資金量は増大し、株式会社が巨大化しました。さらに、企業の集積・集中を通じて独占企業が登場し、国籍を超えた地球大の活動を繰り広げるに及んで、多国籍企業と呼ばれるようになります。一社の従業員が100万人を超え、その商品を購入する消費者は億人単位です。それゆえ、これらの企業の社会的影響力は、国家の政府に匹敵します。

資本主義経済のもとでは、企業は株主の私的所有物であるとはいえ、企業の社会的影響力を考慮すれば、それが社会的責任を有することは明らかです。1970年代に、企業のもたらす外部不経済として公害・環境問題が深刻化し、批判が強まった結果、一部の企業は文化芸術活動を支援するメセナなど、慈善活動を中心とするフィランソロピーに取り組むことによって、こうした批判に対処しようとしました。

企業がその社会的性格に見合った行動をとるための、より明確な指針として、企業の社会的責任(CSR : Corporate Social Responsibility)があります。従来の企業が株主の利益のみを追求していたのに対し、CSRは従業員・取引先・消費者・地域住民などのステークホルダーと協力していくための原理

※8…ネイサン・シュナイダー『ネクスト・シェア』を参照。

です。日本では、日本経済団体連合会（経団連）が企業行動憲章を制定し、ＳＤＧｓの推進、公正な取引と情報開示、人権の尊重、消費者・顧客との信頼関係、働き方改革、環境問題への取り組み、「良き企業市民」としての社会参画などを掲げています。

社会的責任投資（ＳＲＩ：Socially Responsible Investment）は、投資家がＣＳＲを推進する企業に投資することです。環境（Environment）、社会（Society）、ガバナンス（Governance）に配慮したＥＳＧとほぼ同義です。ＣＳＲが企業の自主的な基準にとどまっているのに対して、ＳＲＩは投資を通じて企業に社会的責任をとらせるうえで効果的です。しかし、多くの投資家の目的は資産の増大であり、投資信託の本来の目的は投資家の利益を最大化することですから、ＳＲＩの市場はまだまだ小規模です。

最近では、ＳＤＧｓが初等教育にも取り入れられるほど普及しています。こうした企業の社会的責任をめぐる議論の高まりは、資本主義社会において企業の社会的影響力がますます大きくなっていることの反映です。そこで企業の側も、社会的責任を担っていることを表明せざるをえなくなっているわけです。

ＳＤＧｓは企業が自主的に設定する基準であり、単に企業イメージを良くするための宣伝にすぎない場合も多々見受けられます。企業の目的は利潤追求ですから、この目的と競合するときは、結局ＳＤＧｓは見せかけだけに終わります。企業がＳＤＧｓを推進すると宣伝しながら、実際には何もおこなっていない、もしくは逆の反社会的な行為を続けていることを「ＳＤＧｓウォッシュ」といいます。これは、企業が上辺《うわべ》だけ環境保護に取り組んでいることを「グリーンウォッシュ」と呼んだことに由来します。ウォッシュとは「上辺を飾る」といった意味です。

では、企業のおこなうCSRやSDGsが全くのまやかしであるから、これらをすべて否定すべきかというと、私はそうは考えません。企業は社会的責任をもっているのだから、企業の運営を民主的に転換していこうという方向自体は間違っていませんし、それが社会主義のめざすところでもあります。必要なことは、ここでも企業の社会的責任を表面的な次元から実質的な次元へと徹底させることです。SDGsは資本主義のもとで貧困と環境破壊を抑制し、持続的成長を達成しようと主張していますが、それは根本的に不可能です。そうした矛盾は、SDGsを徹底的に追求すれば、おのずから明らかになることです。※9

新自由主義者であるフリードマンはかつて、CSRについて次のように断言しました。「企業経営者の使命は株主利益の最大化であり、それ以外の社会的責任を引き受ける傾向が強まることほど、自由社会にとって危険なことはない」(『資本主義と自由』249ページ)。

「自由社会」とは資本主義社会のことです。SDGsの行動基準の中の貧困解決や環境保護という方向性は、社会主義的な性格をもっています。反共主義者のフリードマンは、この事実を敏感に察知したのでしょう。彼の直感の通り、CSRやSDGsに含まれる社会主義の要素をとことん突きつめていけば、資本主義の中では実現不可能であることが露呈してくるはずです。

※9…社会主義的観点からのSDGsの評価については、小栗崇資『社会・企業の変革とSDGs』を参照。

社会的企業

ＣＳＲやＳＤＧｓの主眼は、一般の営利企業が、株主の利益だけを考慮するのでなく、企業活動の影響がおよぶステークホルダーすべてに対して、社会の一員としての義務を果たすことでした。

それに対して社会的企業は、地域・福祉・環境などの社会問題を本業とする点で、通常の営利企業とは異なります。しかしＮＰＯのように非営利に徹するのではなく、社会的活動から収益を上げる事業にたずさわる点では、一つのビジネスといえます。社会的企業は後述するソーシャルビジネスの中心的担い手です。社会的企業は、収益を上げるといっても、一般の企業のように利潤最大化や株主への配当増大を目的とするわけではなく、得られた収益は事業の拡大などに用いられます。

社会的企業として最も有名なのは、２００６年にノーベル平和賞を受賞したバングラデシュのムハマド・ユヌスによるグラミン銀行です。この銀行はバングラデシュ農村の貧困層に無担保低利の融資（マイクロファイナンス）をおこない、彼らの経済的自立を支援しました。会員が株主となり、融資の返済率がきわめて高いため、独立した企業として成功しています。

先進国において、社会起業家と社会的企業が最も発展したのはイギリスです。戦後、労働党の社会主義者であるマイケル・ヤングは、社会的企業の設立と社会起業家の育成に尽力しました。その後、１９８０年代から90年代後半にかけての保守党政権は新自由主義路線をとり、それまでのイギリスが築いてきた福祉国家体制を破壊して、公共サービスを大幅に削減しました。そこで、それまでの政府からの補助金を絶たれた非営利法人が、自ら資金を調達するための事業に取り組みはじめました。※10

1997年に「ニュー・レイバー」を掲げるトニー・ブレアの労働党が政権をとると、市場中心でも政府中心でもないという「第三の道」を推進し、NPOと営利企業の中間形態である社会的企業を積極的に後押ししました。公共サービスにおいてそれまで活用されてこなかった人的・物的資源の活用に長《た》けた社会起業家の活動が重視されました。※11

社会的企業と社会主義の関係を考えると、イギリスにおいて社会的企業が誕生した経過からもわかるように、本来は公共機関がおこなっていた事業を政府が放棄して、市場経済に委ねたという側面があります。この点では、社会主義からは後退したと評価されます。

しかし逆の見方もできます。従来型の営利企業によるCSRやSDGsは、SDGsウォッシュといわれるように、企業イメージの改善をねらったポーズにすぎない場合も多く見られます。それは利潤追求を至上目標とする営利企業の限界でした。このことを考えると、社会的企業が社会的課題を解決するために、利潤最大化を最高目的とせず民主的な経営を取り込んでいるのであれば、それは社会主義の方向への前進です。

2015年の内閣府委託調査によると、日本における社会的企業の経済全体に占める割合は、企業数で11・8%、付加価値額で3・3%、有給職員数で10・3%です。※12まだ小さい割合しか占めていませんが、社会的企業は私たちの社会に着実に定着しつつあります。

※10…廣田裕之『社会的連帯経済入門』を参照。
※11…神野直彦・牧里毎治編著『社会起業入門』を参照。
※12…三菱UFJリサーチ&コンサルティング株式会社「我が国における社会的企業の活動規模に関する調査　報告書」を参照。

経済産業省の「ソーシャルビジネス研究会報告書（案）」によると、ソーシャルビジネスは、社会的課題に取り組むことをミッションとする社会性、継続的にビジネスに取り組む事業性、新しい社会的価値を創出する革新性の三つの要件を備えています。組織形態としては、株式会社、ＮＰＯ法人の両方を含みます。ソーシャルビジネスを担う中心的主体は社会的企業です。ＮＰＯ法人のうち、慈善型ではない事業型もソーシャルビジネスに含まれます（図表11−1）。

ソーシャルビジネスに類似した概念に、コミュニティビジネスがあります。風見正三は次のようにコミュニティビジネスを定義します。「『コミュニティビジネス』とは、コミュニティに密着した社会貢献的な活動を事業化する取り組みであり、自らの手で地域社会を良くしたいという『地域変革の志』が原点となっているビジネスである」（「持続可能な社会を築くコミュニティビジネスの可能性」19ページ）。上述の経産省報告書によれば、コミュニティビジネスもソーシャルビジネスと同様に社会的課題に取り組むことを目的としますが、特に地域社会への貢献に焦点を当てたビジネスを指します。

資本主義社会における典型的な営利企業は、儲かる業種であればどこにでも進出することを厭《いと》いません。業種の異なる企業の合併によって成立した巨大企業をコ

◉図表11-1　ソーシャルビジネスの担い手

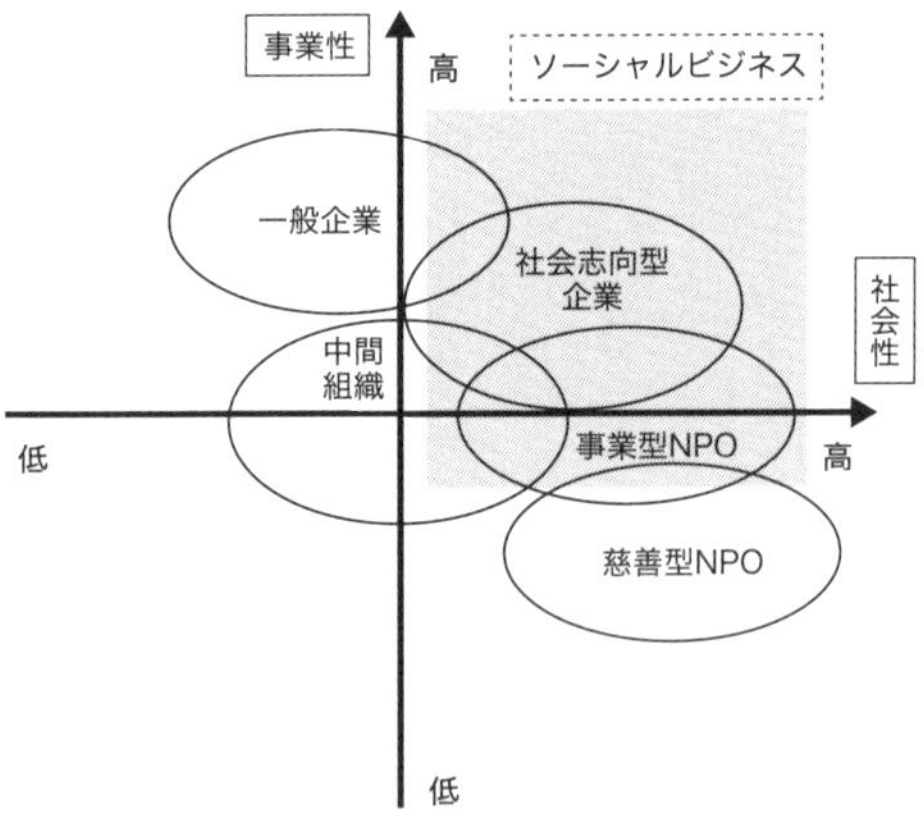

（出所）経済産業省「ソーシャルビジネス研究会報告書（案）」3ページ。

ングロマリットと呼びます。かつて1980年代にアメリカの鉄鋼大手であったUSスチールが、ある石油会社を合併してUSXと社名変更したことがありました。儲かるのであれば業種はX、すなわち何でもよいというわけです。資本主義的な営利企業にとっては、何を営むかではなくて、どれだけ儲かるかが重要なのです。

社会的企業、ソーシャルビジネス、コミュニティビジネスのいずれも、ビジネスであるかぎり、利潤追求という目的を捨て去ることはできませんが、社会貢献という目的を手放さずに継続的に取り組む点では、通常のビジネスと比べると社会主義に接近しています。

社会的連帯経済

個別の社会的企業や協同組合にとどまらず、経済全体をより公正なものに変革する運動として、社会的連帯経済があります。[※13] この概念は、社会的経済と連帯経済が組み合わさってできました。まず社会的経済（économie sociale）について。この概念はフランス語で表記されることからわかるように、主としてフランスで発展し、ラテン系諸国で用いられています。

ベルギーのワロン地域社会的経済協議会による社会的経済の定義は次の通りです。

※13…廣田裕之『社会的連帯経済入門』を参照。

「社会的経済とは、主として協同組合、共済組合、アソシエーションといった組織によりなされる経済活動であり、その原則は以下のようである。
(1)利潤ではなく、組合員またはその集団へのサービスを究極目的とする。
(2)管理の独立。
(3)民主的な決定手続き。
(4)利益配分においては、資本に対して人間と労働を優先する」（富沢賢治「『社会的経済』解題」466ページ）。

社会的経済は、日本の第三セクターとは異なります。第三セクターは、国・地方公共団体と私的企業の共同出資による経営体を指します。代表例は旧国鉄の赤字ローカル線を継承した第三セクターです。確かに私的企業よりは公共性への意識が強く、利益至上主義ではありませんが、営利追求である点は私的企業と変わりありません。

また社会的経済は、非営利部門とも定義が異なります。日本では医療法人や学校法人が非営利部門に含まれます。これらの法人は確かに株主への利益配当を目的としているわけではありませんが、理事会が経営権を握っており、運営はトップダウン方式です。つまり、民主的決定手続きという点で該当しません。※14

次に連帯経済（solidarity economy）について。これは1980年代以降の新自由主義的グローバル化に対抗する市民の運動として発展しました。具体的にはフェアトレード、マイクロファイナンス、地域通貨などが挙げられます。

社会的経済と連帯経済を比べると、社会的経済のほうが古い歴史をもち、日本でも農協・生協のように制度化が進んでいます。これに対して連帯経済は、弱い立場の民衆による対抗運動という側面が強いです。しかし両方とも、非営利・自主・民主の原則に基づくという点では共通しています。フランスで2014年に「社会的連帯経済法」が制定されたことが象徴するように、近年は社会的経済と連帯経済を一括して「社会的連帯経済」と呼ぶことが多くなってきました。

社会的連帯経済も、源流をたどれば社会主義の思想から出発しています。オーウェンもマルクスも、協同組合に基づく社会主義を構想していました。社会的連帯経済の発展は、社会主義が私たちにとってますます身近になっていることを意味しています。

労働者協同組合

第10章の協同組合の節で見たように、今日の資本主義社会において、流通部門では生活協同組合が、金融部門では信用金庫が一定の地位を占めています。生産部門においては農業協同組合や漁業協同組合が定着しています。残された部門は、資本主義経済で中核となる工業です。この部門を含め

※14…社会的経済と似た言葉に「社会的市場経済」があります。これは主としてドイツで用いられる言葉で、自由市場経済と平等主義を組み合わせた政策を意味します。

てあらゆる部門で経済活動を担うのが、労働者協同組合(ワーカーズコープ)です。

社会主義の制度的要件は、生産手段の社会的所有でした。具体的には、労働者が生産組織を所有して自ら運営することで、それを体現するのが労働者協同組合です。ですから生協・農協・信用組合が広がることは、社会主義からすれば進歩ですが、労働者協同組合が大きな比重を占めるようにならないと、十分とはいえません。

労働者協同組合の可能性をめぐる理論的問題は、1950年代以降にユーゴスラヴィアで実施された労働者自主管理の評価という形で、新古典派経済学者たちの間で取り上げられました。労働者自主管理への批判者は、それが経済的に成功しない理由として、民主主義的決定の非効率、剰余金の過剰分配、資源配分の非効率、企業の新規参入不足などを挙げました。[※15]そして1992年にユーゴスラヴィア社会主義連邦共和国が崩壊すると、労働者自主管理の不可能性も実践的に証明されたかのような印象が広まりました。

しかし労働者自主管理は、資本主義社会における労働者協同組合という形で存続しています。ヨーロッパでは、労働者協同組合は社会的経済の一つとして法律で認められ、着実に発展してきました。その代表格であるモンドラゴン協同組合企業体は、スペインのバスク地方にあり、金融、工業、小売、教育・知識の4分野で8万1000人が働いています。企業規模としてはスペイン国内で10位の大きさです。[※16]

では、新古典派経済学による労働者自主管理への批判にもかかわらず、労働者協同組合が資本主義経済の中で存続できているのはなぜでしょうか。新古典派の唯一の評価基準は、一人当たりの所得の最大化でした。しかし労働者協同組合が追求する価値には、効率のみならず、参加・民主主義・公正といった他の価値も含まれます。[※17] 協同組合を運営する労働者たちが、仮に所得水準が低下しても、他の価値が実現されることで満足感が得られるなら、その組合は十分に存立可能です。

労働者協同組合の形成には、主に三つの方法があります。[※18] 第一は新たに設立する方法、第二は倒産した中小企業を労働者が買収する方法、第三は従業員が所有参加する大企業において株式の従業員所有100％をめざす方法です。

ちなみに第10章で見たESOPのような従業員所有企業と労働者協同組合は似通っていますが、従業員所有企業が一株一票であるのに対して、労働者協同組合は一人一票である点が大きな違いです。[※19]

2022年度に日本労働者協同組合連合会に加盟する団体の事業高は378億円、就労者は1万5087人で、日本ではまだ定着しているとはいえません。[※20] これまでは生協や農協には根拠となる法律がありましたが、労働者協同組合にはそれがありませんでした。しかし2020年に労働者協同組合法が成立し、労働者協同組合法人として公的に認められました。これによって、基本的にどのような事業分野でも協同組合を設立できることになりました。[※21] これからは日本でも労働者協同組合の比重

※15…津田直則『資本主義を超える経済体制と文明』28〜29ページ。
※16…潜道文子「モンドラゴン協同組合企業体の挑戦と企業家育成教育」を参照。
※17…津田、前掲書、30ページ。
※18…同上書、116〜119ページ。
※19…津田直則『連帯と共生』179ページ。
※20…日本労働者協同組合（ワーカーズコープ）連合会のウェブサイトより。〈jwcu.coop/about_union/size/〉

が高まっていくことでしょう。

再公営化

イギリスでは戦後、労働党のクレメント・アトリー内閣が、イングランド銀行、石炭産業、鉄鋼業、航空業、電気・ガス・水道業など重要産業を国有化しました。※22 その後1979年以降のマーガレット・サッチャー保守党政権のもとで、これら重要産業の民営化が始まりました。同党のジョン・メージャー政権を経て、1997年から政権についた労働党のトニー・ブレアそしてゴードン・ブラウン政権は、「第三の道」と称して民営化路線を継承・拡大しました。その中心となったのが、第9章でふれたPFI（民間資金等活用事業）です。PFIとは、公共サービスの提供に民間企業の資金やノウハウを活用することです。イギリスでは様々な公共事業がこのPFIで実施されました。

ところがイギリスでは、最近になってPFIの矛盾が噴き出てきました。2018年に会計検査院の報告書が、PFI企業が28兆円の借金を抱えていることを公表しました。特に水道事業を委託された民間会社は、株主への配当と経営陣への高額報酬を優先するためにインフラの更新・整備を怠《おこた》り、十分に浄化されていない下水を垂れ流していました。しかも水道料金が高騰した結果、支払うことができなくなる「水貧困」に陥った世帯が、全体の1割以上に上りました。新自由主義に好意的な新聞である『フィナンシャル・タイムズ』でさえ、「水道民営化は組織的な詐欺に近い」と酷評しました。※23

このように新自由主義路線が破綻する中で、労働党左派の議員や党員が「新しい経済における民主的所有形態」を提案しています。それは公的部門を多元化・分権化し、労働者・市民の参加民主主義を推進すると謳っています。このプロジェクトを推進するジョン・マクドネル議員は、「民主主義と分権化が私たちの社会主義のスローガンなのです」と述べています（『99％のための経済学』236ページ）。

その他の国を見ても、新自由主義政策を40年ほど経験した先進国では、民営化の失敗が明らかになり、再公営化を求める運動・政策が進行しています。[※24]今日の再公営化の特徴は、第一に、国ではなく自治体の主導で事業を運営する点です。それはかつての重要産業国有化の政策が地域住民の意思を反映できなかった反省に立脚し、より身近な地方政府を事業主体としています。第二に、労働者・市民が事業運営に参加する点です。たとえば水道を再公営化したパリでは、水道公社の理事会に労働者代表と市民組織代表が参加しています。[※25]

「公営化」という言葉は「国営化」との相違が曖昧で、国家主導というイメージを払拭しきれていません。再公営化の現状に詳しい岸本聡子によれば、今日の再公営化の重点は「公」よりも「共」（コモンズ）にあります。[※26]ですからそれは「共有化」とも表現できます。

※21…ただし日本で実際に活動している事業分野は福祉関係がほとんどです。
※22…ただし労働党のハーバート・モリソンが主導した国有化は、労働組合の参加を拒否しており、イギリスの重要産業国有化も社会主義の観点からすれば大きな限界を抱えていました。中村太和「産業国有化に関する一考察」を参照。
※23…岸本聡子『水道、再び公営化！』82ページ。
※24…岸本聡子、オリビエ・プティジャン編『再公営化という選択』を参照。
※25…岸本聡子『水道、再び公営化！』50ページ。
※26…同上書、182ページ。

このように、共有を内実とする再公営化への支持がいま広がりつつあることは、私たちの生活を守るためには社会主義が必要であることを物語っています。

自治体主義

新自由主義路線のもとで、大資本のための規制緩和や民営化が進められた結果、公共部門が縮小して地域経済が衰退し、貧困・格差が拡大しました。この流れに抗して欧米では、住民が地域の経済を自ら直接民主主義に基づいて管理・運営する自治体主義（municipalism）運動が広がっています。[※27]

アメリカのクリーブランドやイギリスのプレストンは、高度成長期が終わると製造業の衰退により地域の経済力が疲弊しました。しかし「共通の富の構築」（ＣＷＢ：Community Wealth Building）というアプローチを採用することで復興を遂げています。プレストンのＣＷＢは次の五つの要素からなります。[※28]

第一は、アンカー機関のリーダーシップです。アンカー機関とは、地域に錨《いかり》（アンカー）を下ろした公共性の高い機関、すなわち協同組合、病院、大学などです。これらは景気変動に応じて容易に他の地域へ移転してしまう多国籍企業と対照的です。

第二は、アンカー機関が地域の内部で商品・サービスを調達することです。これによって地域の富が外部に流出することを防ぎ、地域の産業を活性化することができます。

第三は、地域で蓄えられた年金基金のような資産を、多国籍金融機関の運用に委ねるのではなく、地域の事業への投資にふり向けることです。

第四は、労働者協同組合の設立を推進することによって、地域における経済民主主義を発展させることです。

第五は、エネルギー供給のように公共性の高い事業を公有化することです。

このように自治体主義は、これまで見てきた社会的連帯経済、労働者協同組合、再公営化の運動を取り込んでいるのが特徴です。

自治体主義は、実は最近になって初めて登場した運動ではなく、19世紀からの歴史があります。イギリスではフェビアン協会の指導者として著名なシドニー・ウェッブが、ロンドンのような都市の社会資本を公有化する「自治体社会主義」(municipal socialism)を唱えました。※29 アメリカのミルウォーキーでは、1910年から60年にかけて社会党員がしばしば市長となり、特に公衆衛生の整備に尽力しました。政敵からは侮蔑《ぶべつ》を込めて「下水管社会主義」と呼ばれましたが、これはむしろ社会主義が本来は地域に根ざした政治を志向していたことを示しています。

日本でも戦前、社会民主党を創設するなど社会主義運動の草創期を主導した片山潜《せん》と安部磯雄が、

※27…自治体主義についての包括的な邦語文献として、山本隆ほか編著『ニューミュニシパリズム』を参照。
※28…Alan Lockey and Ben Glover, *The Wealth Within*, pp. 19–25.
※29…レーニンは、重要産業を国家が集権的に管理する経済が「社会主義」だと思い込んでいました。それゆえ彼は、フェビアン協会の自治体社会主義を「インテリゲンツィア的日和見主義」と非難しました(『レーニン全集』第13巻、363ページ)。しかし「社会主義」の内容を誤解していたのは、レーニンのほうでした。

それぞれ『都市社会主義』『都市独占事業論』を著し、水道・電気・ガス・都市交通などを大資本に委ねるのでなく市民が運営することを訴えました。「都市社会主義」はmunicipal socialismの訳語です。

また１９６０年代から70年代にかけて、急速な高度成長がもたらした都市問題や公害に対処すべく、日本社会党や日本共産党が支援する首長が多くの自治体で誕生しました。これらの革新自治体は、大企業本位の開発一辺倒から距離をおき、生活と福祉の充実を優先する政策をとりました。このように、自治体社会主義の伝統は日本にも存在しますし、それらを復活することは決して不可能ではありません。

自治体主義を採用した都市が国境を越えて連帯するのが「フィアレス・シティ」という運動です。[※30]「恐れない」（fearless）とは、中央政府や大企業の圧力を恐れないという意味です。２０１７年には、自治体主義派の市民グループが市政を主導するバルセロナで、第1回フィアレス・シティ会議が開催されました。フィアレス・シティを名乗る都市は、世界に広がりつつあります。[※31]

第9章では、現代の資本主義経済が、巨大ＩＴ企業に見られるように、生産の社会化がきわめて進んだ段階にあることを指摘しました。グローバル化や情報化によって、生産の社会化は地球規模へ広がっています。その一方で、本章では社会主義の予兆として、社会的連帯経済や自治体社会主義など、ローカルな次元で草の根から社会主義を指向する運動を取り上げました。これらは一見すると相反する動きのように見えますが、両者は今日の社会主義にとっていずれも不可欠です。

第10章で見たように、社会民主主義的な福祉国家のもとで、産業民主主義や社会保障のような、経済を民主的に運営する制度が築かれてきました。しかし、それは国家を単位とする点に限界がありました。21世紀の社会主義は国家の枠組みを超えて、グローバルとローカルの両方向に広がらなければなりません。

無数のローカルな協同組合などのアソシエーションが、国レベルを超えてグローバルに、民主的協議のネットワークでつながる……。貧富の格差と気候変動を克服できるのは、このような経済社会システムであるはずです。これが本書の展望する共産主義（コミュニズム）社会です。

この構想を可能にする基礎は、技術的にも、制度的にも、そして主体的にも整いつつあります。社会主義は「すぐそこにある」のです。

※30…フィアレス・シティーズのウェブサイトを参照。〈https://fearlesscities.com/〉
※31… 岸本聡子『水道、再び公営化！』143〜146ページ。

SOCIALISM IS EVERYWHERE

第12章

まとめ

最後となるこの章では、私が本書を通じていいたかったことをまとめます。

第1章では、社会主義は「ここにある」ことを強調し、社会主義という言葉の意味について考察しました。社会主義とは、人々が人間性の開花のために社交しコミュニケートできる社会をつくることであり、そのために生産手段を社会的所有にすることです。

第2章では、社会主義を思想・運動・体制に加えて、制度と方向の観点から分析しました。現代の先進資本主義国を福祉国家として捉えれば、社会主義的な制度がある程度、存在します。労働者・市民の状況を改善しようとする運動・制度が、現状を固定化せず社会主義へと向かう方向性をもっているなら、それらの運動・制度は社会主義的であると見なすことができます。

第3章では、社会主義を自由主義と比較しました。個人の自由を第一原理とする自由主義は、それだけでは完結した体系にはなりません。社会主義の中核的価値は共同と本質(自己実現)です。自由・

平等・所有・功利・正義を追求する自由主義の理想は、社会主義によって初めて十全に実現されます。この意味で社会主義は自由主義の発展であると捉えることができます。

第4章では、「私有財産制を否定して共有財産制をとる共産主義社会では、労働の成果は自分のものではなくなり、みんな貧乏になってしまう」という印象を取り上げて分析しました。生産物を得る権限をめぐっては、その根拠が労働にあるとする労働説と、生産手段の所有にあるとする生産手段説があります。単純商品生産から資本主義に至る段階では、自己労働に基づく所有という労働説が支配的です。マルクスの搾取理論も、共産主義社会の低次段階における貢献原理も、これに従っています。しかし共産主義社会の高次段階における応能必要原則は生産手段説を前提にしています。共有財産制はすでに現代社会にも存在しますし、今後ますますその必要性は大きくなるでしょう。

第5章では、共同体・国家・市場と社会主義の関係を調べました。「資本主義イコール市場、社会主義イコール国家」という誤解がよく見られます。国家は階級が発生するところに生じます。ですから社会主義の目標は、市場のみならず国家を廃絶することです。共産主義社会とは階級のない共同体、またはアソシエーションを基礎にした社会です。

第6章では、人類の歴史に社会主義を位置づけました。資本主義支持者は、競争心は人間の本性だと主張します。しかし近年の研究によれば、人間は「協力する種」であり、「社会的選好」を遺伝と文化の両面を通じて獲得してきました。人類の歴史の中で最も長い原始時代は、人間が協力関係を通じて社会を形成したことから原始共産主義と呼ばれます。この時代から人間は、社会主義とともに歩んできました。紀元前1万年に農耕と牧畜が始まって階級社会となって以降も、共同体は私たちの行動を支える基盤であり、資本主義社会においてさえも完全に消滅したわけではありません。それは今日でも地域の共同体に見られるコモンズに受け継がれています。

第7章は、「社会主義イコールソ連・中国」という通説を検討しました。ソ連や中国では、人々が自己実現のために社交しコミュニケートする状況は、決して実現されませんでした。共産主義社会の経済的基礎は、生産手段の社会的所有です。ここでいう社会とは、国家ではなく一般の労働者・市民です。ソ連・中国では、この意味での生産手段の社会的所有は存在しませんでした。これらの国々は「社会主義」を自称していますが、実態は社会主義とはかけ離れた社会でした。

第8章では、「社会主義では競争がなく平等なので、誰も一生懸命働かなくなり、社会全体としても停滞してしまう」という通念を吟味《ぎんみ》しました。今日の世界で社会主義的な特色を最も多く有するのが北欧福祉国家です。これらの国々では、労働者間の共同と平等が尊重されています。公営部門の割合が高く、企業も競争ではなく共同を重視することによって技術革新を推進しています。これからの情報化時代に、特に重要なのは人的資源です。北欧諸国では共同と平等の原理に基づいて、子どもの問題関心を育み、自己実現と多様性につながる教育を推進しています。

第9章では、資本主義社会における生産の社会化という視点から社会主義を捉えました。資本主義社会では、株式会社、資本の集積と集中、独占、社会資本、公的部門、経済計画によって生産の社会化が進みます。生産の社会化は、生産力の発展に即した現象です。資本主義は利潤追求という目的に適合するかぎりで生産の社会化を推進しますが、そうでない場合にはこれを阻害します。生産の社会化がさらに進展するためには、資本主義の枠組みを超えて社会主義へと進む必要があるのです。

第10章では、資本主義社会の中で社会主義的な改良を推進する社会民主主義の運動について論じました。社会民主主義派は労働組合を結成し、会社における民主主義すなわち産業民主主義を拡張します。さらに会社の外部で、労働者・市民が連合して協同組合をつくる運動も促進します。社会民主主義派は政権につくことによって、資本主義社会の中で所得再分配と課税を通じて、社会保障・教育の充実を図り、市場を民主的に規制する福祉国家を構築しました。今日、新自由主義への対案として福祉国家を再建することは必要です。しかし経済成長と国家の弊害や、グローバル化・情報化が福祉国家に及ぼす影響を考慮すると、福祉国家を永続させることは不可能です。私たちはさらに共産主義社会への転換に踏み出さねばなりません。

第11章では、社会主義に関わる最新の現象を概観しました。グローバル化、情報化、シェアリング・エコノミー、企業の社会的責任、社会的企業、社会的連帯経済、労働者協同組合、再公営化、自治体主義です。これらの新しい現象は、利潤追求という資本主義的な要素が混在する場合もあり、単純にこれらの現象がすべて社会主義的な性格をもっているわけではありません。とはいえ、これらの新しい現象において資本主義的要素が払拭され、労働者・市民のイニシアティブによって民主的に運営されるなら、それは共産主義社会への移行を準備することになります。

資本主義社会が限界に逢着《ほうちゃく》しつつある状況が、誰の目にも明らかになりつつある今日、「〇〇資本主義」という言葉をよく目にするようになりました。しかし、現在の危機的状況を乗り越えるためには、資本主義ときっぱり決別して、生産手段の社会的所有を中核とする共産主義社会に移行するしか道はありません。

共産主義や社会主義というと、誰もがそれは非現実的であると反応します。しかし社会主義は、決して私たちの社会から切り離されたユートピアではありません。社会主義は人類誕生のときから現代に至るまで、私たちの社会生活を支える基盤でありつづけてきたのです。しかも社会主義を可能にする条件はますます広がりつつあります。

資本主義を支える思想には、資本の運動を自由放任にする新自由主義と、それを抑制する修正資本主義があります。後者は社会民主主義右派と共通します。先進資本主義国では、戦後、修正資本主義が福祉国家を推進し、1980年代以降には新自由主義が台頭して今日に至ります。

貧困・格差や気候変動問題を解決しようとする人々の中には、再び修正資本主義による福祉国家が復興することを願う潮流もあります。確かに新自由主義よりは、修正資本主義のほうが左派にとって望ましい選択でしょうし、一時的には福祉国家の復活をめざすべきです。

しかし、先進国で交互に政権交代する二大政党が実施する政策を見てもわかるように、福祉国家になったからといって、資本主義の根本的矛盾が解決されるわけではありません。福祉国家は経済的基礎を資本主義においている以上、超えられない限界があります。

ですから私たちの課題は、福祉国家を再建するのみならず、そこからさらに進んで、生産手段の社会的所有を制度的要件とする共産主義社会を形成することです。それは決して遠い先の夢物語ではありません。本書で示してきたように、社会主義は私たちの周りに存在してきましたし、社会主義を必要とする状況は現在、ますます広がっています。社会主義は「すぐそこにある」のです。

あとがき

私事で恐縮ですが、私はわが子が1歳のときから高校生になった現在に至るまで、毎晩絵本を読み聞かせています。私は絵本を読むたびに、「絵本の世界は社会主義だなあ」と思います。

『ぐりとぐら』の主人公は、料理をつくるだけでなく、つくったものをみんなに食べてもらうのが得意で大好きです。「各人はその能力におうじて」です。二人が森の中で調理していると、匂いを嗅いだ動物たちが集まってきます。ぐりとぐらはご馳走をみんなにふるまい、彼らがおいしそうに食べるのを嬉しそうに見ています。ぞうさんはたくさん食べるし、小鳥さんはちょっとだけ食べます。「各人にはその必要におうじて」です。これは、まさに共産主義社会の描写です。

人間は誰しも、子どものときは『ぐりとぐら』の世界に生きています。子どもは誰もが社会主義者です。社会主義は、決して私たちにとって縁遠いものではなく、身近なものなのです。

資本主義が暴走して人間関係と自然環境を破壊しつくし、グローバル化と情報化を通じて生産の社会化が飛躍的に進行した今日、社会主義の必要性と可能性はいっそう増しています。社会主義は「すぐそこにある」のです。

本書の刊行にあたっては、木村亮さんと大月書店の岩下結さんにたいへんお世話になりました。心よりお礼申し上げます。

2023年7月1日　　松井　暁

文献

安部磯雄『都市独占事業論』(『安部磯雄著作集』第2巻)、学術出版会、2008年(原書は1911年)。

アリストテレス(山本光雄訳)『政治学』岩波書店、1961年。

泉弘志『投下労働量計算と基本経済指標——新しい経済統計学の探究』大月書店、2014年。

シドニー・ウェッブ、ベアトリス・ウェッブ(高野岩三郎監訳)『産業民主制論』法政大学出版局、1990年(原書は1897年)。

NHKスペシャル取材班『無縁社会』文藝春秋、2012年。

大河内一男『社会政策の基本問題』(『大河内一男著作集』第5巻)、青林書院新社、1969年(原書は1940年)。

大野秀夫「成果分配と勤労者の資本所有」島根大学『経済科学論集』第18号、1992年。

大橋昭一、奥田幸助、奥林康司『経営参加の思想』有斐閣、1979年。

小栗崇資『社会・企業の変革とSDGs——マルクスの視点から考える』学習の友社、2023年。

エリノア・オストロム(原田禎夫、齋藤暖生、嶋田大作訳)『コモンズのガバナンス——人びとの協働と制度の進化』晃洋書房、2022年(原書は1990年)。

小田亮「『交換の四角形』とその混成態——市場社会を乗り越えるための試論」首都大学東京『人文学報』第515巻第2号、2019年。

小田桐誠『巨大生協の試練と挑戦——コープこうべの内幕』三一書房、1994年。

小野一郎「ソ連の社会経済体制とその崩壊原因」『立命館経済学』第44巻第6号、1996年。

風間信隆「ドイツ企業における監査役会と共同決定——ドイツ・コーポレート・ガバナンスの制度的基盤と実践」中央大学『商学論纂』第54巻第5号、2013年。

風見正三「持続可能な社会を築くコミュニティビジネスの可能性」風見正三、山口浩平編著『コミュニティビジネス入門——地域市民の社会的事業』学芸出版社、2009年。

片山潜『都市社会主義・鉄道新論（全）』学陽書房、1992年（『都市社会主義』原書は1903年）。

ジョン・ケネス・ガルブレイス（都留重人監訳）『新しい産業国家』第3版、TBSブリタニカ、1980年（原書は1978年）。

岸本聡子『水道、再び公営化！——欧州・水の闘いから日本が学ぶこと』集英社、2020年。

岸本聡子、オリビエ・プティジャン編『再公営化という選択——世界の民営化の失敗から学ぶ』堀之内出版、2019年。

アンドリュー・ギャンブル『自由経済と強い国家——サッチャリズムの政治学』みすず書房、1990年（原書は1988年）。

デヴィッド・グレーバー（酒井隆史監訳、高祖岩三郎、佐々木夏子訳）『負債論——貨幣と暴力の5000年』以文社、2016年（原書は2011年）。

窪田新之助『農協の闇』講談社、2022年。

経済産業省「ソーシャルビジネス研究会報告書（案）」2008年。〈www.meti.go.jp/shingikai/sankoshin/chiiki_keizai/pdf/009_02_02.pdf〉

ルイス・O・ケルソ、モーチマー・J・アドラー（稲本国雄訳）『資本主義宣言』時事通信社、1958年（原書も同年）。

国土交通省『国土交通白書 平成27年度版』2016年。

小峯敦「『新しい資本主義論』の進展——2020年代の『脱資本主義論』と対比する」龍谷大学経済学会『ディスカッション・ペーパー』No. 21-03、2022年。

今野晴貴『賃労働の系譜学——フォーディズムからデジタル封建制へ』青土社、2021年。

佐々木隆治「資本主義の最終の発展形態としての『レント資本主義』」『神奈川大学評論』第99号、2021年。

佐中忠司『国家資本論——資本主義的国有企業の理論的研究』法律文化社、1985年。

篠田武司「スウェーデンにみる新たな成長モデル——地域・産業クラスターとイノベーション」大守隆編著『ソーシャル・キャピタルと経済——効率性と「きずな」の接点を探る』ミネルヴァ書房、2018年。

下村博文「公立小中学校の独立行政法人化という究極の改革に向けて」〈www.lec-jp.com/h-bunka/item/v262/12-15.pdf〉

新村出編『広辞苑』第7版、岩波書店、2018年。

瀬能繁『「社会主義化」するアメリカ——若者たちはどんな未来を描いているのか』日本経済新聞出版、2021年。

ネイサン・シュナイダー（月谷真紀訳）『ネクスト・シェア——ポスト資本主義を生み出す「協同」プラットフォーム』東洋経済新報社、2020年（原書は2018年）。

神野直彦、牧里毎治編著『社会起業入門——社会を変えるという仕事』ミネルヴァ書房、2012年。

杉本龍紀「『労働者』から『生産者』へ——ロシア革命における『生産者』の萌芽と否定」北海道大学『経済学研究』第40巻第4号、1991年。

鈴木大裕『崩壊するアメリカの公教育——日本への警告』岩波書店、2016年。

鈴木健夫「現代ロシアの歴史家による『ソ連＝封建社会』論——ミローノフ教授のソ連史論」『早稲田政治経済学雑誌』第315号、1993年。

ハアバート・スペンサー（沢田謙訳）『第一原理』春秋社、1927年（原書は1862年）。

アダム・スミス（大内兵衛、松川七郎訳）『諸国民の富』岩波書店、1969年（原書は1776年）。

潜道文子「モンドラゴン協同組合企業体の挑戦と起業家育成教育——徳倫理が埋め込まれた人間中心のコミュニティ戦略」拓殖大学『経営経理研究』第119号、2021年。

総務省『情報通信白書　平成27年度版』2015年。

チャールズ・ダーウィン（八杉竜一訳）『種の起源』岩波書店、1990年（原書は1859年）。

高野嘉史「『市場の両面性』とシェア・エコノミー」『経済』2018年9月号。

パレッシュ・チャトパディヤイ（大谷禎之介、叶秋男、谷江幸雄、前畑憲子訳）『ソ連国家資本主義論――マルクス理論とソ連の経験』大月書店、1999年（原書は1994年）。

津田直則『資本主義を超える経済体制と文明――改革から変革へ』晃洋書房、2022年。

――『連帯と共生――新たな文明への挑戦』ミネルヴァ書房、2014年。

遠山嘉博『イギリス産業国有化論』ミネルヴァ書房、1973年。

富沢賢治「『社会的経済』解題」J・ドゥフルニ、J・L・モンソン（富沢賢治ほか訳）『社会的経済――近未来の社会経済システム』日本経済評論社、1995年。

なかがわりえこ、おおむらゆりこ『ぐりとぐら』福音館、1967年。

中村恵佑「大学入試制度の変遷と新自由主義との関連性の検討――『人格的能力』に着目して」『東京大学大学院教育学研究科教育行政学論叢』第37号、2017年。

中村太和「産業国有化政策に関する一考察――イギリス公企業論の思想的系譜」北海道大学『経済学研究』第24巻第2号、1974年。

ロバート・ノージック（嶋津格訳）『アナーキー・国家・ユートピア』木鐸社、1985～89年（原書は1974年）。

ギャレット・ハーディン（桜井徹訳）「共有地の悲劇」シュレーダー・フレチェット編『環境の倫理』下、晃洋書房、1993年（原著は1968年）。

ロバート・D・パットナム（柴内康文訳）『孤独なボウリング――米国コミュニティの崩壊と再生』柏書房、2006年（原書は2000年）。

トマ・ピケティ（山形浩生、守岡桜、森本正史訳）『21世紀の資本』みすず書房、2014年（原書は2013年）。

廣田裕之『社会的連帯経済入門――みんなが幸せに生活できる経済システムとは』集広舎、2016年。

福田誠治『競争やめたら学力世界一――フィンランド教育の成功』朝日新聞社、2006年。

――――『競争しても学力行き止まり――イギリス教育の失敗とフィンランドの成功』朝日新聞社、2007年。

福本歌子「フリーコミューンの実験」藤岡純一編著『スウェーデンの生活者社会――地方自治と生活の権利』青木書店、1993年。

ミルトン・フリードマン（村井章子訳）『資本主義と自由』日経BP社、2008年（原書は1962年）。

ミルトン・フリードマン、ローズ・フリードマン（西山千明訳）『選択の自由――自立社会への挑戦』日本経済新聞出版社、2012年（原書は1980年）。

エドゥアルト・ベルンシュタイン（佐瀬昌盛訳）『社会主義の諸前提と社会民主主義の任務』ダイヤモンド社、1974年（原書は1899年）。

ジェレミー・ベンサム（中山元訳）『道徳および立法の諸原理序説』筑摩書房、2022年（原書は1789年）。

サミュエル・ボウルズ、ハーバート・ギンタス（竹澤正哲ほか訳）『協力する種――制度と心の共進化』NTT出版、2017年（原書は2011年）。

トマス・ホッブズ（水田洋訳）『リヴァイアサン』岩波書店、1992年（原書は1651年）。

カール・ポランニー（玉野井芳郎、栗本慎一郎訳）『人間の経済――市場社会の虚構性』岩波書店、1980年（原書は1977年）。

マックス・ホルクハイマー、テオドール・アドルノ（徳永恂訳）『啓蒙の弁証法――哲学的断想』岩波書店、2007年（原書は1947年）。

ジョン・マクドネル『99％のための経済学――コービンが率いた英国労働党の戦略』堀之内出版、2021年（原書は2018年）。

ジョン・スチュアート・ミル（関口正司訳）『自由論』岩波書店、2020年（原書は1859年）。

松井暁『自由主義と社会主義の規範理論――価値理念のマルクス的分析』大月書店、2012年。

松井孝典『宇宙人としての生き方――アストロバイオロジーへの招待』岩波書店、2003年。

カール・マルクス、フリードリヒ・エンゲルス『マルクス＝エンゲルス全集』大月書店、１９５９〜１９９１年。

三菱ＵＦＪリサーチ＆コンサルティング株式会社「我が国における社会的企業の活動規模に関する調査報告書」２０１５年〈http://www.npo-homepage.go.jp/uploads/kigyou-chousa-houkoku.pdf〉

宮本憲一『社会資本論』有斐閣、１９６７年。

トマス・モア（平井正穂訳）『ユートピア』岩波書店、１９５７年（原書は１５１６年）。

本山美彦『ＥＳＯＰ――株価資本主義の克服』シュプリンガー・フェアラーク東京、２００３年。

森裕之、諸富徹、川勝健志編『現代社会資本論』有斐閣、２０２０年。

柳父章『翻訳語成立事情』岩波書店、１９８２年。

山田信行『社会運動ユニオニズム――グローバル化と労働運動の再生』ミネルヴァ書房、２０１３年。

山本隆、山本惠子、八木橋慶一編著『ニューミュニシパリズム――グローバル資本主義を地域から変革する新しい民主主義』明石書店、２０２２年。

米崎里『フィンランド人はなぜ「学校教育」だけで英語が話せるのか』亜紀書房、２０２０年。

依光正哲「イギリス初期工場法に関する一考察」『一橋論叢』第62巻第1号、１９６９年。

デヴィッド・リカード（羽鳥卓也、吉沢芳樹訳）『経済学および課税の原理』岩波書店、１９８７年（原書は１８１７年）。

ジャン－ジャック・ルソー（桑原武夫・前川貞次郎訳）『社会契約論』岩波書店、１９５４年（原書は１７６２年）。

ウラジーミル・レーニン『レーニン全集』大月書店、１９５３〜１９６９年。

ジョン・ロック（鵜飼信成訳）『市民政府論』岩波書店、１９６８年（原書は１６８９年）。

和田春樹『歴史としての社会主義』岩波書店、１９９２年。

Cockshott, W. P., A. Cottrell, and J. P. Dapprich, *Economic Planning in an Age of Climate Crisis*, Independently published, 2022.

Elster, Jon, "Self-Realization in Work and Politics: The Marxist Conception of the Good Life," in Jon Elster and Karl O. Moene eds., *Alternatives to Capitalism*, Cambridge University Press, 1989.

Lockey, Alan and Ben Glover, *The Wealth Within: The 'Preston Model' and the New Municipalism*, Demos, 2019.

OECD, *Government at a Glance 2021*.

Phillips, Leigh and Michal Rozworski, *People's Republic of Walmart: How the World's Biggest Corporations are Laying the Foundation for Socialism*, Verso, 2019.

著者
松井 暁 （まつい さとし）
1960年生まれ．専修大学経済学部教授．専門は経済哲学，社会経済学．
主な著書に，『自由主義と社会主義の規範理論——価値理念のマルクス的分析』（大月書店，2012年），*Socialism as the Development of Liberalism: Marxist Analysis of Values* (Palgrave Macmillan, 2023).
主な訳書に，G・A・コーエン著『自己所有権・自由・平等』（共訳，青木書店，2005年），F・カニンガム著『民主政の諸理論——政治哲学的考察』（共訳，御茶の水書房，2004年）．

装幀・本文デザイン　Boogie Design
DTP　編集工房一生社

ここにある社会主義《しゃかいしゅぎ》
——今日《きょう》から始《はじ》めるコミュニズム入門《にゅうもん》

2023年9月20日　第1刷発行

定価はカバーに
表示してあります

著　者　松 井　暁
発行者　中 川　進

〒113-0033　東京都文京区本郷2-27-16
発行所　株式会社　大　月　書　店
印刷　三晃印刷
製本　中永製本

電話（代表）03-3813-4651　FAX 03-3813-4656　振替00130-7-16387
http://www.otsukishoten.co.jp/

ISBN978-4-272-43108-3　C0010　　Printed in Japan